Collectio
PRO
dirigée p

Série
PRO

Vipère au poing (1948)

BAZIN

Résumé
Personnages
Thèmes

CATHERINE GODON
agrégée des lettres

HATIER

REPÈRES

Dans la collection « Profil », titres à consulter dans le prolongement de cette étude sur *Vipère au poing.*

• Sur Bazin

– *Mémento de la littérature française* (« Histoire littéraire », **128-129**) ; un cri de révolte, p. 136.

• Sur le thème de l'enfance

– *50 romans clés de la littérature française* (« Histoire littéraire », **114-115**) ; *Le Grand Meaulnes,* p. 98.
– MALRAUX, *La Condition humaine* (« Profil d'une œuvre », **12**) ; l'enfance et le rêve, faux paradis, chap. 5.
– ALAIN-FOURNIER, *Le Grand Meaulnes* (« Profil d'une œuvre », **150**) ; l'enfance et l'adolescence, chap. 7.
– PRÉVERT, *Paroles* (« Profil d'une œuvre », **28**) ; enfance et école, chap. 5.

• Sur le thème de la révolte

– ANOUILH, *Antigone* (« Profil d'une œuvre », **24**) ; Antigone, une rebelle, chap. 6.
– GIDE, *Les Faux-Monnayeurs* (« Profil d'une œuvre », **5**) ; les contrefaçons de la révolte, chap. 5.
– VOLTAIRE, *Candide* (« 10 textes expliqués », **104**) ; la révolte de Candide, chap. 7.

• Sur le roman autobiographique

– ALAIN-FOURNIER, *Le Grand Meaulnes* (« Profil d'une œuvre », **150**) ; un roman autobiographique, chap. 3.
– GIDE, *Les Faux-Monnayeurs* (« Profil d'une œuvre », **5**) ; un texte autobiographique, chap. 1.
– STENDHAL, *La Chartreuse de Parme* (« Profil d'une œuvre », **44**) ; autobiographie et roman, chap. 2.

• Profil 1000, « Guide des Profils »

Guide pour la recherche des thèmes, des références à partir de la collection Profil.

© HATIER, PARIS, SEPTEMBRE 1993 ISSN 0750-2516 ISBN 2-218-05576-7

SOMMAIRE

Toutes les références à *Vipère au poing* renvoient à l'édition du Livre de Poche (n° 58).
Les références des autres ouvrages cités sont précisées dans la bibliographie succincte, p. 78.

Fiche Profil

Vipère au poing (1948)

HERVÉ BAZIN
(né en 1911)

ROMAN DU XXe

RÉSUMÉ

Le narrateur Jean Rezeau se souvient que, vingt-cinq ans plus tôt, alors qu'il n'avait que quatre ans et qu'on l'appelait Brasse-Bouillon, il a étouffé une vipère. Il vivait alors, avec sa grand-mère et son frère Ferdinand, dans le domaine de *La Belle Angerie*, la riche propriété de sa famille.
Quelques années plus tard, ses parents reviennent de Chine avec leur troisième fils Marcel. Hélas ! Mme Rezeau, bientôt surnommée Folcoche, est une très mauvaise mère, et M. Rezeau, un père soumis à sa femme. Les enfants subissent alors la tyrannie de leur mère et des précepteurs qu'elle leur choisit : corvées, punitions et privations se succèdent.
Les enfants retrouvent un peu de liberté pendant les quelques mois où Folcoche est hospitalisée. Puis Jean et Ferdinand partent en voyage avec leur père, dans le Sud-Ouest ; ils y découvrent les plaisirs de la table et du confort. À leur retour, Folcoche sévit de plus belle. Alors, ses fils tentent de l'empoisonner, puis de la noyer dans la rivière ; en vain. Jean, puni, s'enfuit à Paris chez ses grands-parents maternels. Son père vient le chercher.
Jean a maintenant quatorze ans. il fait le point sur la grande bourgeoisie à laquelle il appartient malgré lui ; il l'observe avec un regard particulièrement critique lorsque ses parents donnent une réception en l'honneur de son grand-oncle académicien. Il s'intéresse aussi aux femmes et séduit une jeune voisine. Décidé maintenant à quitter au plus vite *La Belle Angerie*, il espionne sa mère, la surprend en train de monter un complot contre lui, et obtient, pour lui-même et pour ses frères, un départ en pension. Il a l'impression d'avoir, pour la deuxième fois, étouffé une vipère : Folcoche.

LES PERSONNAGES PRINCIPAUX

– **Jean Rezeau**, dit Brasse-Bouillon : à la fois personnage et narrateur ; il raconte son enfance et son adolescence malheureuses.

– **Mme Rezeau**, dite Folcoche, la mère, issue de la grande bourgeoisie financière; sèche et autoritaire, elle maltraite ses enfants.
– **M. Rezeau**, le père, issu de la grande bourgeoisie terrienne, faible, soumis à sa femme.
– **Ferdinand**, dit Frédie ou Chiffe, le frère aîné, faible comme son père, mais complice de Jean.
– **Marcel**, dit Cropette, le plus jeune fils, hypocrite et fuyant, « agent double » entre sa mère et ses frères.
– **Les Rezeau** : la grand-mère, qui meurt au début du roman, et le grand-oncle académicien.
– **Les Pluvignec**, parents de Mme Rezeau.
– **Le personnel** : la domestique Fine, les précepteurs, les fermiers.

LES THÈMES

1. Une mère dénaturée : Folcoche.
2. L'enfant brimé : corvées, punitions, privations.
3. L'adolescent : révolte, fugue, départ.
4. La vie à la campagne au début du XXe siècle.
5. La critique de la grande bourgeoisie.

TROIS AXES DE LECTURE

1. Un roman écrit à la première personne
Le narrateur, Jean Rezeau, raconte ses souvenirs d'enfance et laisse entrevoir combien l'adulte qu'il est devenu a été marqué par ces années malheureuses.

2. Un roman d'apprentissage
Le personnage de Brasse-Bouillon, au cours de six années difficiles, apprend à connaître les réalités de la vie sociale, découvre les femmes et se forge une personnalité peu banale.

3. Un roman réaliste critique
Le regard critique de Jean, qui est d'abord celui d'un enfant révolté et ensuite celui d'un narrateur amer, observe la société terrienne et cléricale, puis la grande bourgeoisie parisienne.

1 La vie et l'œuvre d'Hervé Bazin

UN FILS DE LA BOURGEOISIE TERRIENNE

Jean-Pierre Hervé-Bazin, dit Hervé Bazin, est né à Angers le 17 avril 1911. Sa famille, fixée depuis deux siècles à Segré, en Anjou[1], a compté parmi ses membres plusieurs écrivains. Le plus célèbre est René Bazin, grand-oncle de l'auteur.

UNE ENFANCE ET UNE ADOLESCENCE MOUVEMENTÉES

Lorsque Hervé Bazin a six ans, ses parents partent pour la Chine[2] et il est élevé par sa grand-mère jusqu'à l'âge de onze ans. Après le retour de ses parents, il se heurte rapidement à sa mère, sèche et autoritaire, et multiplie les fugues.

Il fait des études mouvementées, d'abord auprès de précepteurs sévères, puis dans cinq collèges successifs. Il devient bachelier, et même premier prix du Concours général de Sciences naturelles. Ses parents l'obligent alors à entreprendre une licence en droit à la faculté catholique d'Angers : il refuse de passer ses examens. On l'inscrit à la préparation à Saint-Cyr : il s'enfuit et, victime d'un grave accident de voiture, il devient amnésique et séjourne plusieurs mois dans une maison de santé.

---

1. Voir carte, p.10.
2. Sur les ressemblances entre l'enfance d'Hervé Bazin et celle du narrateur de *Vipère au poing*, voir plus loin, p. 64.

DU FILS RÉVOLTÉ AU ROMANCIER

Après avoir rompu avec sa famille, il s'installe à Paris où il passe une licence de Lettres, tout en exerçant, pour vivre, les métiers les plus divers (marchand ambulant, journaliste, employé des Postes, valet de chambre, ferrailleur...).

C'est à cette époque qu'Hervé Bazin commence à écrire des poésies et quatre romans qu'il ne publiera pas. En 1946, il fonde avec quelques amis une revue poétique, *La Coquille,* et reçoit en 1947 le prix Apollinaire pour son recueil intitulé *Jour.* En 1948, il publie un deuxième recueil de poèmes, *À la poursuite d'Iris,* et, la même année, un roman, *Vipère au poing,* qui obtient immédiatement un succès considérable.

L'HOMME ENGAGÉ ET L'ÉCRIVAIN COMBLÉ

Hervé Bazin voyage beaucoup (Afrique du Nord, Europe centrale, Canada, URSS...) pour le journal *France-Soir* et pour l'Organisation mondiale de la Santé. En 1949, il s'engage dans le « mouvement mondialiste », qui a pour but de réaliser l'unité politique du monde et d'améliorer le sort de tous les opprimés.

Les thèmes dominants de ses romans sont la révolte contre toutes les pressions familiales et sociales, et l'évolution de la famille au cours du XXe siècle. Lui-même se marie plusieurs fois et il est le père de sept enfants. À sa chronique de la vie familiale appartiennent plus particulièrement *Vipère au poing* (1948), *La Mort du petit cheval* (1950), *Le Bureau des mariages* (1951), *Le Matrimoine* (1967), *Cri de la chouette* (1971)[1], *Madame Ex* (1975) et *Le Démon de minuit* (1988).

Ses autres ouvrages le font apparaître aussi comme un écrivain moraliste, puisqu'il y décrit les mœurs de ses

---

1. *Vipère au poing, La Mort du petit cheval* et *Cri de la chouette* constituent une trilogie et racontent successivement l'enfance de Jean Rezeau, les premières années de sa vie d'adulte, puis sa vie d'homme mûr, jusqu'à la mort de Folcoche.

contemporains. Les plus connus sont *La Tête contre les murs* (1949), *Lève-toi et marche* (1952), *Qui j'ose aimer* (1956) et *Les Bienheureux de la désolation* (1970). Par ailleurs, Hervé Bazin a commenté lui-même sa vie, ses engagements et ses choix littéraires dans *Ce que je crois* (1977), *Abécédaire* (1984) et *Entretiens avec Jean-Claude Lamy* (1992).

Dès la publication de ses premiers romans, le fils révolté, qui avait choisi de mener une vie difficile, connaît une ascension sociale exceptionnelle. Il reçoit successivement le Grand Prix de littérature de Monaco, le Grand Prix de l'humour noir, le Grand Prix international de Poésie, et, en 1980, le Prix Lénine de littérature. Par ailleurs, en 1960, Hervé Bazin est élu membre de l'Académie Goncourt, dont il devient président en 1973.

Il faut surtout remarquer que son succès auprès du public ne s'est jamais démenti : proclamé en 1955 « meilleur romancier des dix dernières années », il était encore en 1985, d'après un sondage de l'IFOP, en tête des « écrivains préférés » des Français. Son œuvre est traduite en trente-deux langues et de nombreux romans sont devenus des scénarios de cinéma ou de télévision. En particulier, *Vipère au poing* a fait l'objet d'une adaptation télévisée de Pierre Cardinal, qui a reçu le prix Albert-Ollivier en 1971 ; Alice Sapritch interprétait le rôle de Folcoche.

2 Résumé

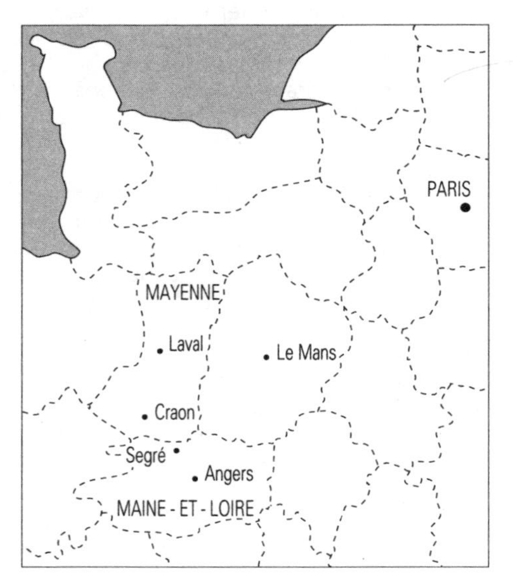

L'histoire se déroule dans le Craonnais, aux confins du Maine et de l'Anjou, près de Segré. Le roman est divisé en vingt-cinq chapitres. Le narrateur, Jean Rezeau, raconte son enfance, l'époque où on l'appelait « Brasse-Bouillon » (voir plus loin, p. 20).

Chapitre 1 (p. 7 à 11)

Un jour de l'été 1922, un enfant aperçoit une vipère, la saisit et l'étouffe de ses petites mains roses. Il est alors comparé à Hercule, ce héros de la mythologie gréco-romaine qui étrangla dans son berceau deux grands serpents.

Chapitre 2 (p. 13 à 24)

Vingt-cinq ans plus tard, cet enfant, Jean Rezeau, est devenu le narrateur de l'histoire. Il décrit la propriété de sa famille, *La Belle Angerie*. Cette inconfortable maison avait probablement été autrefois une « boulangerie » et les ancêtres des Rezeau l'ont ensuite appelée « Belle Angerie » : ce nom, en effet, apparaît plus conforme aux traditions religieuses des Rezeau et à leurs prétentions bourgeoises.

Le narrateur présente sa grand-mère Rezeau; c'est auprès d'elle que son frère aîné et lui-même ont passé quelques années d'enfance heureuse. A la même époque, ses parents et son plus jeune frère vivaient en Chine : M. Rezeau y enseignait le droit international à l'Université catholique. La grand-mère avait obtenu la garde des deux aînés. Le narrateur ne sait pas exactement pourquoi, mais il signale que ce n'est bien sûr pas « sans motifs graves » et il laisse entendre que les mauvais traitements infligés par leur mère les mettaient en danger.

Chapitre 3 (p. 25 à 27)

Lorsque la grand-mère meurt d'une crise d'urémie (maladie des reins), on rappelle les parents de Chine : les deux garçons attendent impatiemment leur retour et celui du petit frère qu'ils ne connaissent pas encore. « Et ce récit devient drame. »

Chapitre 4 (p. 29 à 33)

Ce n'est que huit mois après avoir reçu le télégramme qui les rappelle en France que M. et Mme Rezeau reviennent de Chine avec le petit Marcel. Les deux aînés les accueillent sur le quai de la gare de Segré; mais la mère évite tout attendrissement : quand ils se précipitent vers elle, agacée d'être bousculée, elle les gifle violemment et les charge des valises!

Chapitre 5 (p. 35 à 41)

Le narrateur présente alors un portrait de famille. Le père, Jacques Rezeau, est un spécialiste du droit international. Lorsqu'il revient en France, il cesse de travailler pour vivre de ses rentes et des revenus de sa propriété. Il est entièrement soumis à sa femme et consacre plus de temps à sa collection d'insectes qu'à ses enfants. La mère, Paule Pluvignec, fille de sénateur et richement dotée, est devenue Mme Rezeau par un mariage de raison. Ferdinand, dit Frédie, est leur fils aîné; on le surnomme parfois « Chiffe » à cause de son caractère faible et craintif. Marcel, dit « Cropette » (sans que le narrateur sache d'où vient ce sobriquet), est le troisième fils des Rezeau; studieux et hypocrite, il est le préféré de sa mère. Le narrateur se présente aussi : Jean, le deuxième fils, dit « Brasse-Bouillon », un enfant joufflu, gourmand de vivre, mais aussi un révolté et une mauvaise tête.

Vient ensuite le personnel : les précepteurs successifs, tous ecclésiastiques; Fine, sourde et muette, soumise à toutes les corvées; et enfin ceux qui travaillent la terre : le père Perrault, jardinier et garde-chasse, et les paysans voisins qui saluent les enfants d'un « Bonjour, mon petit monsieur ».

Chapitre 6 (p. 43 à 48)

Peu après leur retour à *La Belle Angerie*, M. Rezeau annonce à ses fils qu'ils seront soumis à des horaires sévères et à une discipline très contraignante, et Mme Rezeau ajoute à ce programme une série de brimades bien plus inquiétantes. Par exemple, les enfants auront les cheveux tondus avec la tondeuse que leur grand-mère utilisait pour l'âne Cadichon.

Chapitre 7 (p. 49 à 60)

Ici commencent véritablement les malheurs des trois garçons, et surtout des deux aînés. Le narrateur accumule les exemples de la cruauté de Mme Rezeau, de sa mauvaise foi et de son injustice constantes. Elle commence par chasser Ernestine Lion et peut désormais faire régner la terreur. Non contente de transformer ses fils en tristes jardiniers, chaussés de lourds sabots et désherbant inlassablement les allées du parc, elle les affame, les purge à l'huile de ricin, leur interdit les promenades. À table, elle n'hésite pas à planter sa fourchette dans leurs mains.

Tout est mis sous clé et définitivement confisqué : aussi bien les quelques objets que possédaient les enfants, leurs médailles et leurs porte-monnaie, que les confiseries envoyées par leurs grands-parents. Pire encore, malgré les réticences de son époux, elle institue une confession publique : le soir, après la prière, chaque enfant doit s'agenouiller devant Mme Rezeau et le précepteur, pour avouer les péchés commis dans la journée; seul Marcel s'accommode de cette pratique, parce qu'il y trouve un moyen quotidien de dénoncer ses frères.

Dressés à l'hypocrisie, fous de rage et d'humiliation, Frédie et Jean n'appelleront plus leur mère que « Folcoche », contraction de « folle » et de « cochonne ».

Chapitre 8 (p. 61 à 67)

Vient la saison de la chasse. M. Rezeau aime bien emmener ses fils avec lui pour rabattre le gibier. Mme Rezeau voudrait les priver de ce plaisir. Mais, quand il s'agit de la chasse, elle évite de contrarier son mari : le gibier lui permet de faire des économies.

Un jour où le gibier a été abondant, les chasseurs reviennent en retard. Folcoche, qui constate avec horreur que ses enfants ont passé une bonne journée, annonce des mesures de répression. Alors M. Rezeau, fort de son tableau de chasse, ose résister quelques instants à son épouse. Cette audace reste sans lendemain et les enfants paient cher l'humiliation de leur mère : pour la première fois, Folcoche ne s'abrite pas derrière un prétexte moral pour les battre, elle règle ses comptes, les dents serrées. Le père Perrault a assisté à la scène; aussi sera-t-il congédié peu de temps après.

Chapitre 9 (p. 69 à 80)

Deux ans plus tard, on renvoie aussi le premier précepteur : les paysans voisins se plaignent des avances qu'il fait à leur fille aînée. D'autres abbés se succèdent.

Un soir, pendant la prière, Folcoche tombe évanouie; le médecin annonce une « lithiase vésiculaire » (elle souffre de calculs). À ses douleurs s'est ajoutée une forte tension nerveuse : en effet, Brasse-Bouillon, qui n'a pas d'autre arme à sa disposition, brave sa mère, à table, en fixant le plus longtemps possible son regard. Les enfants appellent cela « la pistolétade », et, ce soir-là, Jean a « pistolété » Folcoche plus de huit minutes ! Elle est donc malade, et les enfants respirent mieux « depuis qu'elle étouffe ».

Chapitre 10 (p. 81 à 92)

Folcoche est presque rétablie pour la réception annuelle qui lui permet de rendre « d'un seul coup toutes les politesses ». Ses fils ont maintenant l'âge d'y assister, mais ils n'ont bien sûr aucun vêtement correct ; elle achète donc un costume, un seul : chacun le portera une heure et ils paraîtront à tour de rôle ! Ainsi se déroule la fête. Folcoche souffre ce jour-là de son deuxième malaise, se fait elle-même une piqûre de morphine et s'endort, ressemblant soudain... à une vipère aux yeux fermés.

Le quatrième précepteur ne résiste pas longtemps à l'atmosphère qui règne chez les Rezeau ; il hasarde une remarque qui provoque la colère de Folcoche et donc le renvoi de l'insolent. Les enfants ont donné à ce quatrième abbé le surnom de « AB IV », qu'ils ont ensuite abrégé en « B IV ». Le suivant sera donc B V. Il ne reste que huit jours et il est aussitôt remplacé par B VI.

Chapitre 11 (p. 93 à 105)

Le 14 juillet 1927, il faut opérer Folcoche de la vésicule biliaire. Elle est hospitalisée dans une clinique d'Angers. En son absence, la vie change à *La Belle Angerie*. Les garçons appellent désormais leur père « le vieux », et, sous ses yeux indulgents, ils entament une « reconquête » : les pissenlits du jardin repoussent, les cheveux des garçons aussi ; leur territoire s'élargit.

Jacques Rezeau voit même s'espacer ses douloureuses migraines. Il initie ses enfants à l'entomologie (cette science des insectes qui est sa seule véritable passion), à l'astronomie, à la botanique et à la politique. Il s'efforce de leur transmettre les valeurs sociales auxquelles il est attaché, c'est-à-dire celles de la grande bourgeoisie provinciale (voir plus loin, p. 47).

Chapitre 12 (p. 107 à 116)

Folcoche ne se rétablit pas vite. Les enfants espèrent un moment sa mort : en vain. Tous craignent son retour. Les enfants constituent un groupe qu'ils appellent le « cartel des gosses[1] », et ce terme de « cartel », généralement utilisé pour désigner une association économique ou politique, ne manque pas d'à-propos : en prévision de la contre-attaque de Folcoche, ils accumulent, dans une cachette de la chambre de Frédie, toutes les provisions qu'ils peuvent se procurer.

Chapitre 13 (p. 117 à 124)

Folcoche revient à *La Belle Angerie,* mais, en quelques mois, ses fils ont grandi, ses gifles sont « distribuées en pure perte » et elle comprend qu'elle doit changer de tactique. Elle tente de renvoyer Fine, qui protège toujours les enfants; mais M. Rezeau s'y oppose parce qu'elle a toujours fait partie de la famille. Folcoche accorde alors à Marcel des avantages inouïs (elle lui tricote même un chandail !) pour tenter de diviser le cartel, mais Brasse-Bouillon fait de son jeune frère un agent double.

Après ces quelques échecs, Folcoche décide de mettre à exécution un plan qu'elle ne dévoile pas encore. Pour cela, il faut qu'elle ait le champ libre : elle envoie donc ses deux aînés accompagner leur père, invité à séjourner chez des amis, dans un château du Gers.

Chapitre 14 (p. 125 à 143)

M. Rezeau, Ferdinand et Jean partent en voiture pour le Gers (voir l'itinéraire de ce voyage, p. 36). À chaque étape, ils découvrent les plaisirs de l'amitié, la chaleur d'un accueil, les bons repas, les lits douillets. Mais, curieusement, au milieu de tous ces plaisirs nouveaux, Brasse-Bouillon s'ennuie. Il se sent tout désemparé de vivre sans interdictions. Il faut se rendre à l'évidence, Folcoche lui est devenue « indispensable ».

---

1. « Cartel des gosses » : cette appellation constitue un jeu de mots. En effet, en 1924, c'est le *Cartel des Gauches* qui arrive au pouvoir en France (voir p. 46).

Une lettre de Marcel vient soudain révéler l'exécution du plan de Folcoche : elle a engagé un nouveau précepteur plus sévère, et, parce qu'elle était certaine que ses fils devaient dissimuler un petit secret, elle a fouillé leurs chambres de fond en comble : elle a bien sûr fini par découvrir les provisions du cartel. Il faut s'attendre au pire et il faut pourtant rentrer !

Chapitre 15 (p. 145 à 161)

Le nouveau précepteur, choisi pour « mater » les enfants, est l'abbé Traquet, dit B VII. Il commence par fouetter Frédie, puisque c'est dans sa chambre qu'étaient cachées les provisions. Brasse-Bouillon fait en sorte de réconforter secrètement son frère. Il réussit ensuite à inquiéter Folcoche en lui laissant entendre que l'abbé n'aurait pas fouetté Frédie très fort, et à inquiéter l'abbé en lui laissant entendre que Folcoche le considère comme un domestique. Enfin, il obtient de son père qu'il « amnistie » le coupable : on choisira le jour de la Saint-Jacques, puisque c'est le jour de la fête de M. Rezeau.

Chapitre 16 (p. 163 à 177)

Jean devient alors la cible préférée de sa mère et c'est la « guerre civile ». Folcoche accumule les brimades, Brasse-Bouillon les vengeances. Elle sert une soupe affreusement salée et oblige les garçons à la manger ; elle fait des accrocs à leur linge, les accuse à tort de ces méfaits et les consigne dans leur chambre. Brasse-Bouillon déchire les timbres de la collection de sa mère et fait mourir ses fleurs avec de l'eau de Javel...

« Le génie de la méchanceté » habite *La Belle Angerie* et les enfants se déchaînent contre leur mère. C'est parce que Folcoche se retranche toujours derrière les principes de la piété qu'ils décident de profaner des églises à chacune de leurs sorties. Rien ne les arrête : ils plongent les livres de messe dans les bénitiers, coincent le mécanisme des horloges, souillent le siège du prêtre dans les confessionnaux, couvrent les murs d'inscriptions injurieuses.

C'est aussi parce qu'elle leur sert un poisson avarié et parce qu'elle les accuse d'empoisonner les chevaux qu'il leur vient à l'esprit d'empoisonner leur mère! Ils versent dans son café cent gouttes de belladone. Mais Folcoche, depuis sa maladie, a si souvent usé de cette drogue, qu'elle en est quitte pour une colique. Déçus, les enfants entreprennent alors de la noyer dans la rivière qui traverse le domaine; mais, une fois encore, elle sort vivante de cet « accident ».

Chapitre 17 (p. 179 à 185)

Folcoche, qui a compris à quoi elle vient d'échapper, s'apprête à faire fouetter Jean par l'abbé Traquet. Mais l'incorrigible Brasse-Bouillon se barricade dans sa chambre et, la nuit suivante, s'enfuit en laissant le message bien connu de tous : « V.F. » (« Vengeance à Folcoche »).

inc. F.C?

Chapitre 18 (p. 187 à 198)

Jean, muni de deux cents francs qui ont échappé aux fouilles de sa mère, prend le train et arrive à Paris, chez ses grands-parents Pluvignec, dans l'élégant quartier d'Auteuil. Impressionné par la richesse du sénateur, mais agacé par sa futilité, il a l'idée de demander solennellement son arbitrage. L'enfant et son audace plaisent à M. Pluvignec qui promet sa médiation. Il fait donc venir son gendre afin de préparer une réconciliation.

Chapitre 19 (p. 199 à 209)

Jacques Rezeau vient à Paris chercher Jean. Celui-ci est un peu déçu par la faiblesse de ce père qui manifeste plus de gêne que de colère. Il ne peut s'empêcher de penser à ce qu'aurait fait Folcoche à sa place : certes, il déteste sa mère, mais il admire son courage et son autorité.

Dans le train qui les ramène à Segré, Jean assiste avec intérêt à une conversation qui oppose son père à un passager, lecteur de *L'Humanité*[1].

---

1. Journal du Parti communiste français.

Chapitre 20 (p. 211 à 214)

Jean revient à *La Belle Angerie* au milieu d'une indifférence générale. Alors, perché sur la plus haute branche d'un arbre qui deviendra bientôt son refuge favori, il « fait le point ». Dans son combat contre Folcoche, il sait qu'il occupe une position nouvelle : par sa taille d'adolescent, par son goût du scandale et de la provocation, il lui fait peur. Il espère qu'elle cherchera bientôt à l'exclure de la communauté familiale.

Chapitre 21 (p. 215 à 222)

Il faut, en attendant, recommencer à désherber les allées du parc et cirer les parquets du salon : on va fêter le vingt-cinquième anniversaire de l'élection à l'Académie française « du vénérable et octogénaire René Rezeau », grand-oncle du narrateur. M. Rezeau dépense une énergie considérable pour organiser cette cérémonie qui doit rassembler toute la famille et entretenir sa notoriété. Folcoche trouve la réception bien coûteuse, mais doit – pour une fois – se soumettre à la tradition de sa belle-famille.

La fête a lieu : on écoute trois heures de discours ennuyeux. La famille est réunie sous les regards du « petit peuple » qui apporte des canards et des poulets, comme des « serfs en plein XXe siècle ». Jacques Rezeau, très ému et « ivre d'orgueil », tente de faire partager ses sentiments à Jean qui trouve cette fête anachronique : ce cérémonial n'est plus qu'une survivance en marge d'un monde qui s'agite et qui a déjà changé, sans que son père s'en aperçoive. Sa haine pour ses proches s'étend dès lors à toute sa famille et à toute la grande bourgeoisie.

Chapitre 22 (p. 223 à 232)

Jean a quinze ans. S'il délaisse un peu Folcoche, c'est parce qu'il doit lutter avec ce qu'il appelle... sa « nouvelle vipère », c'est-à-dire son désir des femmes. Il choisit de séduire Madeleine, la jeune vachère, et il arrive à ses fins un dimanche d'été, après vêpres, sous le regard de Frédie qui surveille les alentours et contrôle la réussite de son frère.

Chapitre 23 (p. 233 à 242)

Jean profite quelque temps de sa conquête mais s'irrite au moindre signe de tendresse de Madeleine. En effet, pour lui, toutes les femmes sont un peu Folcoche, c'est-à-dire méprisables. Mme Rezeau comprend qu'il faut éloigner au plus vite ce fils qui la connaît trop bien et qui déjoue ses plans. Tous les deux savent maintenant à quel point ils se ressemblent : même esprit de contradiction, même force, même entêtement...

Folcoche organise alors une mise en scène : elle cachera son portefeuille dans la chambre de Jean et l'accusera de vol. Jean, qui a observé les préparatifs de sa mère, comprend ce qu'elle lui réserve. Il pourrait la confondre ; mais il veut seulement la fuir. Il faut donc la laisser faire.

Chapitre 24 (p. 243 à 248)

Lorsque Mme Rezeau sort de sa chambre, Jean lui rapporte aussitôt le portefeuille qu'elle y a déposé. Le lecteur s'attend à une confrontation décisive entre deux ennemis de la même force. Mais ce règlement de comptes n'aura pas lieu car tous les deux ont en fait le même but : le départ de Jean au collège. Il partira donc, et il obtient même que ses frères l'accompagnent.

Jean peut maintenant rejoindre une dernière fois Madeleine ; il lui annonce son départ et, comme il se met à rire de sa tristesse, elle éclate en sanglots.

Chapitre 25 (p. 249 à 256)

Les trois garçons terminent leurs préparatifs, poursuivis par quelques ultimes mesquineries. Ils seront internes chez les jésuites, à Sainte-Croix du Mans, et M. Rezeau posera sa candidature à un poste de magistrat afin de pouvoir payer leurs frais de pension.

Folcoche n'a pas perdu, Jean n'a pas vraiment gagné : la seule victoire est celle de la haine qui pèse définitivement sur l'avenir du narrateur, qui façonne sa personnalité et compromet tout sentiment possible. Il ne croit « plus à rien ni à personne » et part vers son destin... « une vipère au poing ».

3 Les personnages dans *Vipère au poing*

JEAN REZEAU, DIT BRASSE-BOUILLON

Le premier chapitre du roman raconte une anecdote dont le héros est un enfant de quatre ans, Jean Rezeau. C'est ce même Jean Rezeau qui, vingt-cinq ans plus tard, écrit l'histoire et présente l'enfant qu'il a été. Puisque l'incident des premières pages est daté de 1922, le narrateur adulte est censé écrire en 1947. Remarquons qu'Hervé Bazin publie *Vipère au poing* en 1948, ce qui invite à établir un lien autobiographique entre le narrateur et l'auteur (voir plus loin, p. 64).

Il convient de distinguer les trois visages de Jean Rezeau qui sont proposés au lecteur : l'enfant de quatre ans, l'enfant de huit à quinze ans et le narrateur qui a vingt-neuf ans.

Le très jeune enfant

Au début du récit, Jean Rezeau est un enfant de quatre ans, qui paraît heureux et reçoit des fessées méritées. Il vit chez sa pieuse grand-mère à qui il a été confié à l'âge de quelques mois. On l'appelle déjà Brasse-Bouillon (p. 23, 24), mais il s'accommode de ce surnom dont il ne dit pas l'origine et qui ne lui deviendra insupportable que lorsque sa mère le prononcera. Quand sa grand-mère meurt, il a huit ans et il attend une « maman ». C'est Folcoche qui arrive.

L'enfant de huit à quinze ans

• Portrait physique

Au chapitre 5, le narrateur décrit l'enfant qu'il a été : « brun, joufflu jusqu'à l'âge de douze ans » (p. 38) ; il se dit très fier de ses dents « rendant les casse-noix inutiles », mais il se désole d'avoir hérité « des oreilles maternelles, du menton maternel, des cheveux maternels » (p. 38) ; cette ressemblance sera plusieurs fois mentionnée, par exemple au chapitre 23 où le narrateur rappelle ses « trop grandes oreilles », ses « cheveux secs », sa « galoche de menton ».

• L'éducation de Jean

Comme ses frères, Jean reçoit un enseignement à domicile (voir plus loin, p. 32). Avec ses précepteurs successifs, il apprend le latin, le grec et la littérature française. À table, comme toute la famille, il est tenu de s'exprimer en anglais. Son éducation s'arrête là : chez les Rezeau, on ne pratique aucun sport, on n'accorde guère d'importance à l'hygiène, et on ne sort presque jamais de *La Belle Angerie* (sur le déroulement de la journée, voir plus loin, p. 39).

• L'enfant révolté

Jean n'est pas présenté comme un enfant facile : il est « le révolté, l'évadé, la mauvaise tête ». S'il n'explique pas son surnom, il remarque toutefois qu'il ne peut avoir qu'une valeur péjorative (p. 37). Pourtant, au cours des premières années passées auprès de sa mère, c'est encore « le petit salaud qui a bon cœur » (ce qui n'est pas le cas de Folcoche), et il faudra sept ans auprès d'elle pour qu'il devienne – progressivement – le monstre capable de lui résister puis de lui échapper.

Très vite, Jean cesse d'accorder sa confiance à ses parents et consacre la plus grande énergie à contourner leurs interdicitons. Il fabrique des passe-partout, il a l'idée du « cartel des gosses » (voir ci-dessus, p. 15) et entraîne ses frères à profaner les églises. Enfin, c'est lui qui, pour échapper à une punition, s'enfuit à Paris. Dressé à voir des pièges partout, il en tend à son tour chaque fois qu'il en a l'occasion.

Sa résistance physique et sa volonté lui permettent d'être beaucoup plus courageux que ses frères. Il reçoit les coups sans pleurer, les rend quand il le peut, et fixe le plus longtemps possible le regard de sa mère (ce qu'il appelle « la pistolétade »). Il déchire les timbres de la collection de Folcoche et passe ses fleurs à l'eau de Javel.

Il est à l'école de sa mère et devient, comme dit le narrateur, le bon élève de ses « leçons de machiavélisme » (p. 155). Il sait vite diviser ses adversaires par des insinuations et il espère être responsable de la maladie de sa mère : c'est même lui qui essaie deux fois de l'assassiner ! (voir plus loin, p. 26).

Il faut se rendre à l'évidence : la lutte contre Folcoche devient son jeu favori. « La haine, beaucoup plus encore que l'amour, ça occupe » (p. 95). Cette haine n'exclut pas une certaine admiration : « Je suis assez fier de nous deux », pense-t-il (p. 183) lorsqu'il est barricadé dans sa chambre et que Folcoche, à peine remise de son opération, donne l'assaut en montant jusqu'à sa fenêtre avec une échelle.

Chez ce fils rebelle, on perçoit parfois la nostalgie de cette « maman » qu'il n'a pas (p. 133). Mais, le plus souvent, Brasse-Bouillon se vante de détester la tendresse et se moque des autres enfants qui appellent leur mère avec « des mots fades » (p. 189). Quand son père vient le chercher à Paris, il le méprise de ne pas réagir comme Folcoche ; si son fils à lui avait fait une fugue, il l'aurait « roué de coups et traîné par les cheveux jusqu'à la maison » (p. 200) : n'est-ce pas la méthode de sa mère ?

- **L'adolescent**

À la fin du roman, Jean a quinze ans, et, dans les derniers chapitres, son univers s'élargit. Du haut de son arbre favori, il prend du recul. Lui qui avait si bien adopté les préjugés sociaux de sa famille, il contemple maintenant avec mépris cette grande bourgeoisie qui se coupe du monde moderne et il se voit en « futur abonné de *L'Humanité*[1] ». Par ailleurs, malgré son ignorance et son isolement, il fait peu à peu son éducation sexuelle : pendant le séjour dans le Gers, il remarque avec plaisir le visage de Yolande de Poli, la fille de leur hôte ; puis, dans le train qui le conduit à Paris, il s'intéresse aux formes de sa jeune voisine ; il est ensuite très sensible à celles de la femme de chambre des Pluvignec. On le voit enfin poursuivre assidûment, et avec succès, Madeleine, une jeune vachère pour qui il n'a pas « la moindre amitié ». Le fils de Folcoche peut-il aimer ?

---

1. Voir note 1, p. 17.

Le narrateur adulte

De ce narrateur adulte, on sait très peu de choses. Son langage révèle un solide sens de l'humour et le goût des jeux de mots (voir plus loin, p. 75). Son récit se présente comme un règlement de comptes avec son enfance, et c'est son regard sur cette période de sa vie qui donne au lecteur quelques indications sur l'homme qu'il est devenu. Par exemple, lorsque l'adulte Jean Rezeau se souvient de l'impiété de Brasse-Bouillon, il écrit : « Aujourd'hui encore, lorsque je m'interroge sur une antipathie irraisonnée, je ne suis généralement pas long à découvrir qu'elle est motivée par le contre-courant d'une sympathie de ma mère, à jamais devenue pour moi le critère du refus » (p. 170). Ce sont ses haines qu'il doit à Folcoche et c'est ainsi qu'avec dérision, le narrateur peut écrire, à la dernière page du roman : « Merci, ma mère » (p. 256). Que lui a-t-elle donné d'autre ?

Lorsqu'au dernier chapitre il quitte sa mère, Folcoche lui prédit un avenir dont il n'aura pas « le droit d'être fier » (p. 253). Le lecteur ne saura rien de cet avenir; mais, dans les trois dernières pages de l'ouvrage, Jean Rezeau commente l'héritage de son éducation : « Toute foi me semble une duperie, toute autorité un fléau, toute tendresse un calcul » (p. 254). Et il se définit ainsi dans la dernière phrase : « Je suis celui qui marche, une vipère au poing. »

LA MÈRE : MADAME REZEAU, DITE « FOLCOCHE »

Paule Pluvignec

Avant de devenir Mme Rezeau, puis Folcoche, la mère du narrateur a été une demoiselle Pluvignec, petite-fille de banquier et fille de sénateur. Élevée dans un pensionnat de Vannes, elle passait alors pour une enfant sournoise. Très riche, elle apporte une dot considérable au mari que lui choisissent ses parents en 1913.

Portrait physique

Mme Rezeau n'est décrite qu'à travers le regard haineux du narrateur. Elle a peut-être été belle; elle est grande et ne manque pas d'allure. Mais elle a de grandes oreilles, des cheveux secs, deux dents en or, de « maigres cuisses » (p. 177) et « deux seins maigres, inutilement bridés par le soutien-gorge » (p. 163). Elle porte une « éternelle robe de chambre grise semée de capucines fanées » (p. 184). Elle a dix ans de moins que son mari (et deux centimètres de plus).

Lorsqu'elle apparaît, sur le quai de la gare de Segré, ses enfants voient arriver « un chapeau en forme de cloche à fromage », puis « de la cloche à fromage jaillit une voix » (p. 31). Par la suite, lorsque Mme Rezeau parlera, on dira seulement qu'elle « glapit » ou « reglapit ».

Folcoche : une « anti-mère »

Rappelons que Mme Rezeau devient « Folcoche » à la fin du chapitre 7 (p. 60), lorsque son fils aîné, Ferdinand, accablé par l'injustice de sa mère, se met à hurler : « La folle ! La cochonne ! » et contracte aussitôt les deux injures en « Folcoche ».

Pour le narrateur, Mme Rezeau est « la contre-mère dont les deux seins sont acides » (p. 213). Nous dirions peut-être aujourd'hui une anti-mère, comme on dit un anti-héros. Pour camper Folcoche, il suffit donc d'inverser toutes les caractéristiques prêtées traditionnellement à l'amour maternel : avec ses enfants, Folcoche se montre méchante, violente, menteuse, hypocrite, égoïste, avare, jalouse. Mais elle est bien plus que tout cela. « Outre ses enfants, je ne lui connaîtrai que deux ennemis : les mites et les épinards » (p. 36), écrit le narrateur; puisque ses enfants sont *ses ennemis*, elle sera hostile à tous ceux qui pourraient les défendre : employés ou membres de la famille. En fait, elle n'a qu'une passion, les timbres.

Ses enfants n'ont jamais été bercés ni cajolés. Ses seuls contacts avec eux sont les fessées, les coups de talon dans les tibias, les coups de fourchette sur les mains, la tondeuse dans leurs cheveux. Mme Rezeau déteste ses deux aînés et ne semble guère aimer Marcel. Elle *regrette* que la vipère que Jean a étouffée (au chapitre 1) ne l'ait pas tué. Elle *espère* que ses fils sont coupables d'empoisonner les chevaux. Elle est contrariée s'ils ont quelque élégance et fait elle-même des accrocs à leur linge. Elle renvoie Ernestine *parce que* celle-ci aime les enfants. Ils vivent à la campagne et sont tout de même enfermés dans un espace de trois cents mètres carrés. Malgré le grand nombre de personnes attachées à l'entretien de *La Belle Angerie,* Folcoche fait tailler les haies par ses fils, aux ciseaux, « avec taloches à l'appui » (p. 54). Elle confisque leurs médailles d'enfants qu'ils ne reverront jamais. Ils apprennent à connaître la faim, le froid, la douleur.

Folcoche a inventé une anti-éducation. « Du soupçon, Mme Rezeau fit un dogme » (p. 49). Elle a « raté sa vocation » de gardienne de prison. Ses trois garçons l'appellent « la dictatrice », « la mégère ». Elle apparaît même comme la divinité cruelle et toute-puissante de la maison, parfois comparée par le narrateur à Moloch (un dieu à qui on immolait des enfants que l'on brûlait ensuite) ou à Kali (déesse hindoue elle aussi avide de sacrifices sanglants).

Le secret de Madame Rezeau

Le roman ne montre jamais ce personnage attaché à une valeur religieuse ou morale : sa piété n'est qu'une façade ; son avarice est plus forte que son respect des traditions familiales ; elle n'est « point très intelligente » (p. 118) ; elle n'aime personne, elle n'est aimée de personne. Le lecteur s'interroge sur l'origine de l'acharnement que met Folcoche à contrarier son mari et ses enfants, et plus particulièrement sur la haine dont elle pousuit ses deux fils aînés dès leur naissance. Le roman ne suggère pas de réponse.

En revanche, dans *La Mort du petit cheval,* qu'Hervé Bazin publie deux ans après *Vipère au poing* (voir ci-dessus, p. 8, note 1), une révélation vient éclairer le comportement de Mme Rezeau. Le narrateur raconte qu'après la mort de leur père, lui-même et Ferdinand découvrent un vieux portefeuille contenant des lettres et des photos de Marcel. Les lettres datent de quelques mois avant la naissance de ce dernier, et elles sont signées d'« un autre

Marcel, attaché au consulat général de Changhaï». Il semble bien que le plus jeune des trois garçons ne soit pas le fils de M. Rezeau. Ainsi, Folcoche a détesté le mari qu'on lui avait imposé et les deux fils nés de ce mariage; mais, pendant leur séjour en Chine, elle a aimé un autre homme puis le fils qu'il lui a donné.

La réaction de Jean, lors de cette révélation, est mitigée: jusque-là, il s'était contenté d'expliquer le caractère de sa mère par sa jeunesse austère, son mariage de raison et sa maladie (voir ci-dessus, p. 13). Désormais, il faut se «résigner à dégringoler dans la banalité»: Mme Rezeau n'était pas «un monstre unique en son genre», mais une femme adultère qui a persécuté deux fils pour mieux préparer la réussite du troisième. Rappelons que cette explication n'est nullement donnée dans *Vipère au poing:* le personnage de Folcoche y garde son mystère et son effroyable originalité[1].

Trois épreuves pour Folcoche

• La maladie

Au chapitre 9, Folcoche souffre d'une maladie de la vésicule biliaire. Malade, Mme Rezeau reste égale à elle-même: elle part à la clinique en faisant «les plus sanglantes menaces» (p. 93). A son retour, elle trouve sa famille à table, et son premier geste est de fermer le beurrier! (p. 116). Elle ne veut pas qu'on la voie affaiblie ni allongée. En convalescence, si elle se repose sur une chaise longue, c'est toujours sans s'appuyer au dossier. Sa hargne fait d'elle une force de la nature.

• Les deux tentatives d'assassinat

Parmi les mères inquiétantes célèbres, on trouve Agrippine, la mère de l'empereur Néron[2]. Jamais, au cours du récit, Folcoche ne lui est explicitement compa-

---

1. Le 8 novembre 1992, Hervé Bazin, lors d'une émission télévisée, révéla qu'il savait depuis peu de temps que le caractère de sa propre mère avait peut-être pour origines la méningite qu'elle avait eue à seize ans et l'interdiction d'épouser le jeune homme qu'elle avait aimé.

2. Néron est un empereur romain (37-68 après J.-C.), qui fut porté au pouvoir par sa mère Agrippine en 54 et qui la fit assassiner en 59.

rée, mais certaines analogies sont frappantes. Folcoche, comme Agrippine, échappe à deux tentatives d'assassinat organisées par ses fils. Comme elle aussi, elle ne peut être empoisonnée parce qu'elle est mithridatisée, c'est-à-dire immunisée. Comme Néron, ses fils essaient de la noyer et donnent l'ordre de l'achever en tapant sur sa tête. Agrippine a succombé à la tentative suivante; pour Folcoche, il n'y a pas de troisième tentative : serait-elle plus redoutable que ne le fut l'impératrice romaine?

• **Le temps**

Ce que Folcoche craint le plus, c'est de voir grandir ses enfants, parce qu'elle doit « changer de tactique » (p. 119). Elle subit des « échecs », mais pas de « défaite ». Le temps qui passe l'oblige à constamment renouveler ses armes, mais là encore elle ne capitule jamais.

desc. p40

LE PÈRE : JACQUES REZEAU

Le grand bourgeois

M. Rezeau appartient à la grande bourgeoisie de province. Il est docteur en droit et d'abord professeur à l'Université catholique. De sa jeunesse, on sait seulement qu'il a aimé une petite protestante mais qu'il a dû, en 1912, se soumettre à une « union rendue indispensable par la pauvreté des Rezeau ». Il passe ensuite quelques années en Chine, comme professeur de droit à Changhaï, où il s'adonne déjà à sa seule passion, l'entomologie[1] : il chassera l'insecte toute sa vie et se désintéressera de toute conversation si une mouche rare vient à passer.

En revenant en France, il donne sa démission de son poste d'enseignant, sous prétexte de paludisme et en fait pour s'occuper d'entomologie et de généalogie. Un Rezeau ne doit pas travailler pour vivre. C'est un homme très cultivé, un « professeur sans élèves » doué d'une prodigieuse mémoire et compétent aussi bien en botanique qu'en cosmographie ou en histoire.

malaria

---

1. Entomologie : partie de la zoologie qui traite des insectes.

Très honnête, il se révèle incapable de faire fructifier la dot de sa femme dont il ne satisfait pas les ambitions. À la fin du roman, pour payer les études de ses enfants, il se résigne à reprendre une activité professionnelle et devient magistrat.

Le bien-pensant

M. Rezeau, dans ses goûts et dans ses idées, apparaît parfaitement conforme à l'image que l'on donne traditionnellement de la classe sociale à laquelle il appartient : il est pieux, d'une foi « lourde et encombrante comme le mont Blanc » (p. 58) ; il ne déteste pas s'encanailler quelques instants chez des fermiers pour partager une soupe aux choux ; il est hostile au modernisme (jazz, peinture cubiste, poésie surréaliste) mais on parle anglais à la table familiale et on affiche parfois une certaine désinvolture dans le langage [« Fine nous a donné des saloperies », dit-il (p. 130) en découvrant le pique-nique]. Le plus souvent, M. Rezeau parle une langue très pure, avec un « léger excès d'imparfait du subjonctif » (p. 102). Il défend « le bon ton, le bon goût, les bonnes manières » (p. 102).

En politique, on nous le montre « bien-pensant », hostile aux francs-maçons[1], aux radicaux[2], aux socialistes, aux communistes. Il ne peut pas non plus être favorable à l'Action française[3], puisqu'elle est condamnée par le pape. D'autre part, il considère les nobles comme des « bons à rien » ; pourtant, ses recherches généalogiques lui ont permis de découvrir que, malgré son nom dépourvu de particule, il descendait d'une famille de barons qui avait droit à des armoiries, et les contacts qu'il peut avoir avec la noblesse de l'Ouest le rendent « ivre d'orgueil » (p. 220).

---

1. La franc-maçonnerie est une association internationale, dont les membres s'engagent à observer des principes de fraternité et se reconnaissent à certains emblèmes.

2. Partisans du radicalisme, doctrine républicaine et laïque. Les radicaux s'organisèrent en parti après le second Empire. Leur nom vient du fait que le premier parti radical souhaitait des réformes de fond, comme l'établissement du suffrage universel. À l'époque qui nous intéresse, ils sont anticléricaux, mais attachés à la propriété privée.

3. Mouvement politique d'extrême droite, nationaliste et royaliste, fondé en 1908 autour de Charles Maurras.

L'époux

Ce « monsieur ennuyé » a manifestement plus envie de s'occuper de ses mouches que de sa femme. Il sait clairement que sa fortune vient de son mariage et qu'il n'a donc pas de pouvoir de décision. Bien qu'il la traite avec quelque galanterie, il a peur d'elle. Ses deux principes étant « pas de scandale » et « sauver la face », il se résigne ou il fuit. De sa femme, il dit qu'« elle est mieux sans masque » (p. 85) (c'est-à-dire quand elle dort).

Loin d'elle, il « se croit autorisé à respirer librement » (p. 122) et même à chanter (p. 62) :

La petite Émilie
M'avait hier promis
Trois poils de son cul
Pour faire un tapis...

Toutefois, quand il se sent menacé, « il bat en retraite, tels ces généraux vainqueurs qui ne savent pas exploiter un succès provisoire » (p. 66).

Le père

Assurément il désapprouve les méthodes de sa femme et, quand il n'a pas trop à résister, il adoucit ses décisions et ses pratiques. « Avec le dos, Paule ! » (p. 53), ose-t-il murmurer lorsque Folcoche donne des coups de fourchette à ses enfants. Il refuse de fouetter Frédie. En voyage, il établit avec ses fils une maladroite camaraderie qui lui permet de se démarquer de Folcoche.

Malgré – ou à cause de – son caractère paisible et lâche, il ne trouve pas grâce aux yeux de Brasse-Bouillon. Folcoche est haïe, mais presque admirée. Jacques Rezeau, « cet empaleur de mouches » (p. 235), est franchement méprisé. Le narrateur accumule à son égard les formules cruelles : « Notre père qui étiez si peu sur la terre » (p. 96), « cet homme qui était mon père, ce père qui n'était pas un homme » (p. 200) et surtout « ce *pater familias* incarné dans sa peau de bique pelée » (p. 158). Le vrai couple du roman est bien Folcoche/Brasse-Bouillon.

FERDINAND, LE FILS AÎNÉ

Ferdinand, dit « Frédie », parfois surnommé « Chiffe » à cause de sa mollesse, a un an et demi de plus que Jean. Comme son père, il est « très toutou » (p. 236) et influençable ; il compte sur la résistance de Brasse-Bouillon.

MARCEL, LE PLUS JEUNE FILS

Le troisième fils de Folcoche est Marcel, dit « Cropette ». Avec ses gros yeux de myope à fleur de tête et « la fesse un peu croulante », Marcel, le « frère de Chine », se montre « Pluvignec cent pour cent » (p. 37). Il est par conséquent « péniblement studieux, froid, tenace, personnel, corollairement hypocrite » (p. 37). Avec un an de moins que Jean, il est le benjamin, l'enfant préféré de sa mère, ou plutôt le moins mal aimé. Le lecteur ignore l'origine du surnom « Cropette », mais il est à l'évidence moins péjoratif que « Chiffe » ou « Brasse-Bouillon ». Marcel bénéficie de quelque indulgence et cette « douce vassalité » fait de lui un mouchard qui appelle Folcoche « Maman ». Mais, comme ses frères, il se méfie de sa mère « dont les plus vives attentions ne pouvaient d'ailleurs dépasser le tiers de ce que fait une mère normale pour le bien-être et la joie de ses enfants » (p. 121). Il choisit donc le statut d'« agent double », servant tantôt Folcoche, tantôt Brasse-Bouillon, soulagé lorsqu'il peut se réfugier dans une confortable neutralité.

LES AUTRES MEMBRES DE LA FAMILLE

Les Rezeau

• La grand-mère

Elle n'apparaît que dans les trois premiers chapitres du roman. Adorablement sévère, elle n'avait « ni le baiser facile, ni le bonbon à la main » (p. 26), mais elle seule appelait Jean « mon chéri » ou « mon petit Jean ».

Quand elle meurt, au chapitre 3, elle laisse à son petit-fils le souvenir d'une femme courageuse, digne et affectueuse. Dès que Folcoche apparaît, sur le quai de la gare de Segré, on regrette déjà cette bonne grand-mère, en quelque sorte l'anti-Folcoche.

- **Le grand-oncle**

René Rezeau est le frère du grand-père du narrateur et il présente une malicieuse ressemblance avec René Bazin[1], le propre grand-oncle de l'auteur. Le narrateur le montre frileux, souffrant de la prostate; mais c'est lui qui a su « asseoir la renommée des Rezeau jusque dans ce fauteuil de l'Académie française, où il se cala les fesses durant près de trente ans » (p. 18).

Les Pluvignec

M. Pluvignec est sénateur et tient sa fortune de son père, banquier sous le second Empire[2]. Mme Pluvignec, « plus habituée à dorloter des chiens que des enfants » (p. 202), n'est pas dépourvue d'une certaine gentillesse mondaine. Tous les deux se montrent à la fois frivoles et bienveillants. Avec peu d'estime pour leur gendre et leur fille, ils manifestent un certain intérêt – amusé et éphémère – pour ce petit-fils qui fait appel à leur arbitrage.

LE PERSONNEL

Ernestine Lion

Elle est la gouvernante de Frédie et de Jean, quand ils habitent encore avec leur grand-mère. Après la mort de la grand-mère, elle est la seule à donner aux enfants des marques d'affection : « Elle nous aimait, cette vieille fille, et c'était bien là le pire grief de notre mère » (p. 50). Folcoche, aussitôt qu'elle le peut, s'acharne sur elle, lui imposant des travaux qui ne lui reviennent pas, pour finalement la chasser (chapitre 7). Les enfants ne seront même pas autorisés à lui faire leurs adieux.

---

1. Écrivain français (1853-1932), attaché aux valeurs traditionnelles, auteur de romans d'inspiration terrienne, religieuse et patriotique.
2. Régime politique de la France (2 décembre 1852 - 4 septembre 1870) établi par Napoléon III.

Alphonsine, dite Fine

Elle sert la famille depuis trente ans et elle est très mal payée. C'est pourquoi Folcoche la garde. Mais Fine n'est pas bien vue : elle défend les enfants. Sourde et muette, elle s'exprime en « finnois », c'est-à-dire avec des gestes et quelques sons (« Krrrrrhh »), bien utiles pour prévenir les garçons des dangers que Folcoche leur prépare.

Les précepteurs successifs

Sept abbés occupent successivement la fonction de précepteur des enfants. Folcoche les renvoie quand ils ne servent pas assez bien son programme de brimades.

– Le père Trubel est l'abbé n° 1, c'est-à-dire AB I ou B I. Il a été missionnaire en Afrique et il porte trois griffes de lion à la chaîne de sa montre. Quand Folcoche le renvoie, il en donne une à Jean (p. 71).
– B II et B III ne font que passer. Ils fuient Folcoche et ses méthodes, « l'un pour soigner sa mère, l'autre pour soigner sa décalcification » (p. 77).
– B IV, trop gentil, est chassé.
– B V (Athanase Dupont), renvoyé aussi, alerte l'archevêché sur les pratiques de Folcoche. Les Rezeau doivent offrir à l'Église un don considérable pour étouffer l'affaire.
– B VI (Baptiste Vadeboncœur) est un « fort brave paysan » (p. 91), tuberculeux et faible en latin, mais très sportif.
– B VII (l'abbé Traquet) est un « très long, très maigre abbé » (p. 148). « Entré à *La Belle Angerie* avec des intentions de Croquemitaine » (p. 165), il se dirige peu à peu « vers les rivages de la neutralité ». C'est, en fait, « un pauvre type, engagé au rabais ». Il restera jusqu'à l'entrée des enfants au collège.

Les « serfs »

Ce sont les paysans qui travaillent autour de *La Belle Angerie*. Les deux plus importants dans le récit sont le père Perrault (jardinier, garde-chasse et propriétaire d'une épicerie) et Madeleine, séduite par Jean à la fin du roman, une fille aux yeux jaunes et aux cheveux nattés qui sentent le foin frais.

4 Les lieux

Hervé Bazin décrit généreusement les lieux. Ils sont étroitement liés au destin des personnages et chargés d'une valeur symbolique : *La Belle Angerie* est à la fois la propriété de la famille Rezeau, le royaume de Folcoche, et le dernier bastion d'un monde finissant.

La région dans laquelle se situe l'essentiel de l'action est le Craonnais. Le narrateur s'en éloigne à deux reprises : lors d'un voyage dans le Sud-Ouest, et lorsqu'il s'enfuit chez ses grands-parents, à Paris.

LE CRAONNAIS

La ville de Craon est située aux confins des départements de la Mayenne et du Maine-et-Loire, et de trois provinces, le Maine, la Bretagne et l'Anjou (voir carte, p. 10). Cette région est également appelée par le narrateur « le Segréen » (Segré est une petite ville du Maine-et-Loire), ou le Bocage angevin. Jean Rezeau ne lui accorde aucun pittoresque et la présente comme la région la plus arriérée de France.

Il n'a pas plus d'indulgence pour les habitants du pays, des « indigènes » chétifs, méfiants et souvent alcooliques. « Serfs dans l'âme », ils restent métayers de père en fils, sans jamais devenir propriétaires des terres qu'ils cultivent. Quant aux femmes, elles sont rapidement engraissées par les potées et le lard.

Pourtant, Jean Rezeau parle avec familiarité, et même avec une certaine tendresse, de la campagne humide, de sa végétation, de sa faune. Le roman commence ainsi : « L'été craonnais, doux mais ferme... » (p. 7) ; le ton est donné : le lecteur connaîtra les marais qui fument en été et les terres craquelées par la chaleur ; puis les ornières, le froid, les giboulées, et l'éternel vent d'ouest. Ce pays est « un paradis terrestre pour la bécassine, le lapin et la chouette. Mais pas pour les hommes » (p. 16).

Les villes paraissent déplaisantes : Segré, et plus encore Angers. Quant à Laval, où M. Rezeau pourrait reprendre un poste de magistrat, on n'en parle guère, ni du Mans, où les enfants sont mis en pension à la fin du roman. Le Craonnais, c'est le pays d'une enfance détestée mais qui laissera à jamais à Jean Rezeau le goût de la campagne.

« LA BELLE ANGERIE »

Un lieu réel et imaginaire à la fois

La Belle Angerie est la propriété de la famille Rezeau depuis plus de deux cents ans. C'est un lieu imaginaire, ainsi que Soledot, le bourg prétendument situé à mille huit cents mètres de la maison. En fait, Hervé Bazin a dit s'être inspiré du domaine du Patys où il a passé son enfance, à peu près situé, comme *La Belle Angerie* dans le roman, à trente-trois km d'Angers, à six km de Segré et à cinq km de Vern. Certains noms sont proches de ceux de lieux réels (comme Bécon-les-Carrières, p. 14, qui évoque Bécon-les-Granits à l'ouest d'Angers) ; d'autres existent réellement [Noyant-la-Gravoyère (p. 15) situé à l'ouest de Segré] ; par ailleurs, les noms de fermes cités dans le roman, tels que *La Vergeraie* ou *La Bertonnière,* se terminent en -aie ou en -ière, comme beaucoup de noms de cette région.

Quant au nom de *La Belle Angerie,* Jean Rezeau en propose une explication (voir ci-dessus, p. 11). Mais ce nom évoque aussi des villages bien réels du Craonnais : L'Ogerie et Angrie à l'est de Candé, ou encore La Bellauderie au sud-est de Segré, ou Saint-Quentin-les-Anges entre Segré et Craon. Laissons à Hervé Bazin le mystère de ce domaine romanesque implanté dans une région si géographiquement précise, et pénétrons dans la propriété familiale des Rezeau, présentée au début du chapitre 11.

Le parc

Il ne manque pas de charme, avec sa longue allée de platanes qui bifurque devant le manoir et descend vers la rivière. Le domaine est traversé par l'Ommée, un ruisseau que l'on a artificiellement élargi pour le rendre navigable, et que franchissent deux ponts solennels et quelques passerelles. Au-delà de l'Ommée, l'allée principale devient « l'allée rouge », bordée de hêtres pourpres, et file vers *La Bertonnière,* une ferme voisine. Dans le parc, se trouvent des cabanes dédiées à des saints et une trentaine de bancs de pierre ou de bois. Les bâtiments eux-mêmes sont entourés de rosiers et leurs abords limités par des barrières blanches.

Les bâtiments

Ce qui fait l'unité du manoir, c'est une façade imposante, avec un perron et une porte d'honneur. Ce « faux château » s'orne de deux tourelles, dans lesquelles sont cachés les cabinets d'aisances, et d'une chapelle. Derrière cette façade, se dissimule un véritable puzzle de bâtisses ajoutées progressivement.

Les appartements proprement dits sont composés de trente-deux pièces, toutes meublées. Des tapisseries anciennes ornent les murs de la salle à manger. Le père dispose d'un bureau ; chaque enfant a une chambre, et l'ex-chambre de la tante Gabrielle a été transformée en salle d'étude. La bibliothèque est située dans l'aile droite des bâtiments et la lingerie dans l'aile gauche.

Aux bâtiments principaux ont été ajoutés une immense serre exposée au nord, une fermette pour le jardinier, des écuries transformées ensuite en garage et des communs divers. Ainsi, *La Belle Angerie* est si vaste que c'est au son d'une cloche que se rassemblent ses habitants.

Outre son étendue, l'autre caractéristique de *La Belle Angerie* est son inconfort : ni eau courante, ni tout-à-l'égout, ni chauffage central, ni téléphone. Des cheminées et quelques poêles chauffent mal les murs humides et, d'ailleurs, Folcoche fait rapidement supprimer les poêles des chambres des enfants.

À l'intérieur de la maison, non seulement de nombreuses pièces et les vingt-et-une armoires sont fermées à clef, mais ces clés sont déposées, avec les bijoux et les objets précieux, dans le « saint des saints », la grande armoire anglaise de Mme Rezeau. La clef de ce meuble sacré ne quitte jamais « l'entre-deux-seins de la maîtresse de maison » (p. 56).

LE VOYAGE

Les chapitres 14 et 15 racontent le voyage vers le Sud-Ouest de M. Rezeau et de ses deux fils aînés (voir ci-dessus, p. 15). Il s'agit d'un voyage en voiture dont l'itinéraire peut être récapitulé avec une certaine précision :

– *Premier jour :* arrêt à Angers, recherches généalogiques à Doué-la-Fontaine, à Vihiers et à Trémentines, nuit à Cholet.

– *Deuxième et troisième jours :* recherches généalogiques dans les Deux-Sèvres et en Vendée. Traversée de la Charente et arrivée en Dordogne, chez le curé Templerot.

– *Quatrième jour :* arrêt à Sigoules, toujours en Dordogne, chez le baron de la Villéréon et étape au Mas-d'Agenais, dans le Lot-et-Garonne, chez un ancien caporal de M. Rezeau.

– *Cinquième jour :* arrivée au château de Poli (Gers).

– *Du sixième au treizième jour :* séjour au château de Poli.

– *Quatorzième jour :* visite de Bordeaux et étape à Blaye.

– *Quinzième jour :* les côtes de Charente-Maritime ; arrêts à Royan, Fouras, Châtelaillon, et étape à La Rochelle, chez la baronne de Selle d'Auzelle, tante du narrateur.

– *Seizième jour :* traversée de Fontenay-le-Comte, Cholet, Candé et Vern. Arrivée à *La Belle Angerie* à seize heures.

AUTEUIL : LA FUGUE

Menacé d'une sévère punition (voir ci-dessus, p. 17), Brasse-Bouillon s'enfuit de *La Belle Angerie.* A pied, il se rend à Segré où il prend le train pour Paris. Il arrive à la gare Montparnasse, prend le métro et descend à la station Michel-Ange-Auteuil pour se rendre rue Poussin, dans le XVIe arrondissement.

Pendant ce bref séjour à Paris, il visite le musée Grévin, la tour Eiffel, Notre-Dame, la Sainte-Chapelle, le Muséum[1], le Louvre et l'Arc de Triomphe. Puis, en compagnie de son père qui est venu le chercher, on le reconduit en voiture jusqu'à la gare Montparnasse où il reprend le train pour le Craonnais.

---

1. Probablement le Muséum d'histoire naturelle du Jardin des Plantes.

5 Le temps

L'univers spatio-temporel de *Vipère au poing* étant très précisément défini, la chronologie des événements peut être reconstituée, sans que disparaissent pourtant quelques incertitudes.

LA CHRONOLOGIE DES ÉVÉNEMENTS

Le narrateur dit écrire vingt-cinq ans après l'incident de la vipère. Il raconte son enfance dans un récit à peu près linéaire, mais la réorganisation de ses souvenirs lui permet des retours en arrière et des anticipations.

Dates	Événements
1913	Mariage de M. et Mme Rezeau.
Entre 1913 et 1916	Naissance de Jean.
1919 ou 1920	M. et Mme Rezeau partent en Chine. Jean et Ferdinand sont confiés à leur grand-mère.
Été 1922	Jean étouffe une vipère (p. 7-11).
1923 ou 1924	Mort de la grand-mère (p. 25-27).
8 mois plus tard	M. et Mme Rezeau reviennent de Chine (p. 30).
27 novembre 1924	Ils annoncent à leurs enfants quel sera leur emploi du temps quotidien (p. 43).
Automne 1925	Retour de la chasse (p. 63-67).
Mars 1926	Renvoi du père Trubel (p. 70).
Début 1927	Première réception à *La Belle Angerie* (p. 83-85).
Juillet 1927	Folcoche est hospitalisée à Angers (p. 93).
Automne 1927	Jean lui rend visite (p. 99).
Début 1928	Retour de Folcoche (p. 115-116).

Dates	Événements
1er mai 1928	La punition de Ferdinand est levée (p. 163).
Mai 1928	Première tentative de meurtre (p. 172).
Juin 1928	Deuxième tentative de meurtre (p. 175-176). Jean fait une fugue (p. 187-202).
24 juin 1928	Jean est «gracié» par son père (p. 208).
Été 1928	Deuxième réception (p. 215-222).
Septembre 1928	Première expérience sexuelle de Jean (p. 232). Incident du portefeuille (p. 238-246).
1er octobre 1928	Jean et ses frères entrent en pension (p. 250).
1932	Mort de l'oncle René Rezeau (p. 18).
1947 ou 1948	Jean raconte son enfance (p. 15).

TEMPS DU RÉCIT ET TEMPS DE LA NARRATION

Le roman se déroule entre l'été 1922 et l'été 1928. Mais le narrateur remonte plus loin dans le temps, en signalant par exemple que *La Belle Angerie* appartient à sa famille depuis deux cents ans ou que ses parents se sont mariés en 1913. De même, il anticipe sur son propre avenir : c'est dix ans après la deuxième opération de Folcoche (donc en 1937) qu'il en apprendra la nature. Ces précisions ouvrent le temps romanesque vers le passé et vers l'avenir. Elles permettent aussi de faire coïncider le repérage du temps du récit – qui est relatif et qui se fait par rapport aux dates données – avec le repérage temporel du narrateur au moment où il écrit (1947 ou 1948). Ainsi est créée l'illusion d'un narrateur qui raconte ses propres souvenirs.

L'ÂGE DE BRASSE-BOUILLON

Le narrateur indique à plusieurs reprises l'âge de Jean au moment de tel événement. C'est ici qu'apparaissent des contradictions. En effet, Jean a huit ans lors du retour de ses parents en 1924; mais il a douze ans lors de la première réception à *La Belle Angerie* en 1927, « quatorze ans tout ronds » à Pâques 1928, et « presque quinze ans » lors de la deuxième réception au cours de l'été 1928. Il est donc né entre l'automne 1913 et le début de l'année 1916.

Alors qu'Hervé Bazin fait preuve, pour toutes les autres dates, d'une grande cohérence, que faut-il penser des incertitudes laissées au lecteur sur l'âge de Jean ? On ne peut émettre que des hypothèses. Remarquons qu'Hervé Bazin, qui brouille les pistes de l'autobiographie en changeant les noms des personnages, choisit d'abord de faire naître Jean Rezeau quelques années après lui; mais, au fil du récit, l'âge de son personnage se rapproche de plus en plus du sien. Faut-il y voir une superposition de la réalité et de la fiction romanesque ?

L'EMPLOI DU TEMPS DES ENFANTS

5 h	On se lève, on fait son lit, on se lave. Messe et action de grâces. On apprend ses leçons.
8 h	Petit déjeuner. Une demi-heure de récréation en silence.
9 h	Travail jusqu'au déjeuner avec un quart d'heure d'arrêt vers 10 h. Déjeuner. Une heure de récréation.
13 h 30	Travail jusqu'au dîner interrompu par un goûter à 16 h. Dîner au cours duquel on ne parle qu'anglais. Prière du soir à la chapelle.
21 h 30	Coucher.

Les enfants travaillent donc neuf heures par jour, et des contraintes pèsent sur leurs repas.

LE RYTHME NARRATIF

La chronologie des événements que nous avons tenté d'établir plus haut ne rend pas compte du temps subjectif[1]. Or le choix que fait l'auteur d'accélérer le récit ou, au contraire, de dilater la durée, constitue le rythme narratif.

– Les trois premiers chapitres racontent quatre ans de la vie de Jean, c'est-à-dire sa petite enfance heureuse jusqu'en 1924.

– Les dix chapitres suivants correspondent également à quatre années (le rythme narratif se fait donc ici plus lent) ; le narrateur y raconte la vie des Rezeau sous l'influence de Folcoche. On constate que, dans cette partie du roman, le narrateur accumule les indications temporelles telles que « au début », « quelques jours après », « depuis longtemps », « en même temps », « généralement », « en quelques mois », « deux fois par semaine », « des années », etc. Il faut rendre la durée sensible au lecteur : c'est à ce rythme que la haine s'enracine solidement.

– Les douze derniers chapitres correspondent à quelques mois seulement de la vie des Rezeau, de Pâques à septembre 1928. On pourrait penser que là plus qu'ailleurs le temps passe lentement. Or la densité événementielle de cette période ne permet pas d'avoir cette impression : un voyage, deux tentatives de meurtre, une fugue, une grande réception, une première expérience sexuelle, un complot déjoué et un départ définitif... tout cela en six mois !

Les quatre années évoquées dans les chapitres 1 à 3 serviront ensuite de référence : c'était le bonheur et l'équilibre par rapport auxquels tout le reste ne sera que souffrance. Les quatre années suivantes représentent l'apprentissage de la haine. Les six derniers mois sont ceux au cours desquels Jean se rend assez insupportable à sa mère pour être autorisé à partir. Le rythme narratif est donc étroitement lié à la structure du roman.

---

1. Temps subjectif : perception que le narrateur a du temps, en fonction de ses sentiments et de sa personnalité.

6 La structure du roman

Lorsqu'un narrateur adulte raconte des souvenirs d'enfance, il convient d'être attentif à la reconstruction du passé. La structure de *Vipère au poing* entretient une tension dramatique permanente grâce à des temps forts et à un fil conducteur.

LES TEMPS FORTS

Dans l'enfance de Jean, on assiste à quatre événements qui vont changer le cours du récit : la mort de sa grand-mère, l'hospitalisation de Folcoche, le voyage dans le Gers et la fugue consécutive aux tentatives de meurtre. À cela il faut ajouter les deux autres temps forts que constituent les deux réceptions données à *La Belle Angerie*.

La mort de la grand-mère (chap. 3)

Ce chapitre 3 commence par une énumération des événements et des habitudes qui ont rythmé jusque-là une vie sans histoire, presque charmante; puis viennent trois points de suspension, et « soudain, grand-mère mourut » (p. 25). Après le récit de cette mort, on lit une deuxième fois : « Grand-mère mourut. Ma mère parut » (p. 27). Le narrateur va à la ligne et ajoute : « Et ce récit devient drame. » C'est la fin du chapitre 3 et, ironiquement, le chapitre 4 commencera par « Maman » (p. 29). Mais le lecteur a compris que c'en était fini de la tendresse. Dès lors, la tension dramatique est liée à la présence ou à l'absence de celle qu'on appellera bientôt Folcoche.

L'hospitalisation de Folcoche

(chap. 11 et 12)

Folcoche entre dans une clinique d'Angers le 14 juillet 1927 et revient à *La Belle Angerie* environ huit mois plus tard. En son absence, les enfants retrouvent la liberté de jouer avec leurs jeunes voisins et d'explorer le parc. Leurs relations avec leur père deviennent plus chaleureuses. Enfin les trois garçons, pendant ces quelques mois, n'ont plus à se dénoncer les uns les autres à Folcoche au cours de la confession du soir (voir ci-dessus, p. 13) : ils connaissent une complicité qu'ils ne retrouveront jamais par la suite.

Le voyage (chap. 14 et 15)

Le voyage vers le Sud-Ouest apporte à Frédie et Brasse-Bouillon deux révélations : leur père et le monde extérieur.

Ils ont sous les yeux un M. Rezeau qu'ils ne connaissaient pas. Ils ignoraient qu'il avait fait la guerre avec un certain courage et en avait gardé des amis fidèles. Ils ne soupçonnaient pas ses facultés d'adaptation : chez l'abbé Templerot, il déboutonne son gilet (p. 135); chez son ancien caporal, il se régale d'une soupe aux choux (p. 139); au château de Poli, il fait le « joli cœur » devant Yolande (p. 140).

Frédie et Brasse-Bouillon s'aperçoivent aussi que tout le monde ne vit pas comme eux. Chez Templerot, on mange et on boit à volonté, on dort dans un lit « tout mou, tout chaud » et on parle gentiment. « Un pays de cocagne, en un mot » (p. 137). Et pourtant on est chez un curé ! Alors, que dire désormais des prétextes moraux et religieux que Folcoche donne à ses choix éducatifs ?

Dans ces conditions, la principale fonction dramatique du voyage n'est pas de permettre à Folcoche une fouille des chambres des enfants et une répression sévère. Elle est plutôt de creuser le fossé entre Frédie et Jean d'une part et Cropette de l'autre, et surtout d'offrir aux deux premiers un univers de référence qui rendra la vie à *La Belle Angerie* plus inacceptable qu'auparavant.

La fugue (chap. 18 et 19)

Jean, qui va bientôt avoir quinze ans, s'enfuit pour échapper à la punition qui le menace, après le bain forcé de Folcoche dans l'Ommée (voir ci-dessus, p. 27). Il fait preuve alors d'un certain courage, lui qui n'a jamais voyagé seul, jamais pris le train ni le métro, et jamais vu Paris. Quant aux conséquences de sa fugue, elles dépassent de loin son projet d'échapper au fouet : elles seront nombreuses et plutôt avantageuses pour lui.

Tout d'abord, en faisant connaître aux Pluvignec le conflit familial, il ridiculise son père et défie sa mère qu'il oblige à changer de tactique. Il gagne une certaine considération : il faudra désormais compter avec celui qui a si bien su obtenir la protection et la sympathie – même très superficielles – du sénateur.

Mais surtout Jean se découvre lui-même et affirme sa personnalité. Il fait connaissance avec les Pluvignec, cette bourgeoisie financière que M. Rezeau déteste, et qui mène une vie aussi luxueuse que frivole, dans un confort dont Jean ne soupçonnait pas l'existence et sur lequel il porte aussitôt un regard sévère. Il découvre aussi les classes laborieuses : le poinçonneur de billets dans le métro, dont il trouve le tutoiement déplacé ; le concierge et les domestiques des Pluvignec ; le contrôleur du train et les passagers de troisième classe ; et surtout le communiste, puisque c'est au chapitre suivant que Jean se voit en « futur abonné de *L'Humanité* » (p. 214). Enfin, il sent monter en lui son attirance pour les femmes : Marie-Thérèse, la jeune fille qui partage son compartiment et qu'il s'arrange pour frôler ; et Josette, la femme de chambre des Pluvignec, qui lui saisit le poignet en souriant quand il s'enhardit.

Jean n'a pas seulement fui la punition. Il a fui le monde de *La Belle Angerie,* son enfermement et ses contraintes. Nous sommes en juin 1928, et c'est en septembre qu'il obtiendra la liberté définitive – c'est-à-dire le pensionnat. La fonction dramatique de la fugue est donc de rendre l'émancipation de Jean irréversible à ses propres yeux et, très vite, aux yeux de sa famille.

Les deux réceptions (chap. 10 et 21)

Au chapitre 10, le narrateur raconte la « réception annuelle » que donnent ses parents à *La Belle Angerie*. Au chapitre 21, on assiste à la réception donnée en l'honneur de René Rezeau, en août 1928. Ces deux réceptions, à un an et demi d'intervalle, permettent de mesurer l'évolution de Brasse-Bouillon. En 1927, c'est un enfant qui offre des gâteaux aux invités, gêné d'avoir un pantalon en accordéon et vexé qu'on le traite de « vilain ». Tandis qu'en août 1928, son point de vue est presque devenu celui d'un adulte et il pose un regard critique sur tout ce qui l'entoure : sur les traditions des Rezeau, sur « le petit peuple », et sur le monde qui a changé sans que sa famille s'en aperçoive. Les deux réceptions sont représentatives de deux périodes successives : l'apprentissage de la haine et l'apprentissage de l'indépendance.

UN FIL CONDUCTEUR : LA MÉTAPHORE DE LA VIPÈRE

C'est l'impitoyable combat que se livrent Folcoche et Brasse-Bouillon qui fournit au roman son unité. Ce combat est symbolisé par la métaphore qui donne son titre au roman et qui apparaît comme un fil conducteur. Dans la première et la dernière phrase du roman, le narrateur parle d'une vipère que le lecteur retrouve plusieurs fois au cours du récit.

Le premier chapitre met en place cette métaphore qui va structurer l'œuvre. Il est explicitement dit, dès la deuxième page, que la mère du narrateur ressemblera à une vipère : « Elle avait de jolis yeux (...) cette vipère (...) tout pétillants d'une lumière que je saurais plus tard s'appeler la haine et que je retrouverais dans les prunelles de Folcoche, je veux dire de ma mère » (p. 8).

Puisque le lecteur est désormais averti de cette équivalence, le narrateur pourrait en rester là. Or nous retrouvons une première fois la vipère p. 74-75 : « Ton regard se lève comme une vipère et se balance, indécis, cherchant l'endroit faible qui n'existe pas. Non, tu ne mordras pas, Folcoche ! Les vipères, ça me connaît. Je m'en fous, des vipères... » Puis, quand Folcoche s'endort (p. 85) : « La vipère, tous yeux éteints... » En voyage, quand Jean s'ennuie de sa mère (p. 141) : « Jouer avec le feu, manier délicatement la vipère, n'était-ce point depuis longtemps ma joie favorite ? » Quand il commence à désirer Madeleine (p. 227) : « Cette nouvelle vipère qui me grouillait dans le corps, il fallait aussi l'étrangler. » C'est avec elle, enfin, que le narrateur clôt le récit, comme il l'avait ouvert : « Cette vipère, ma vipère, dûment étranglée, mais partout renaissante, je la brandis encore et je la brandirai toujours (...). Je suis celui qui marche, une vipère au poing » (p. 255-256).

Il s'agit donc d'un véritable leitmotiv : Folcoche est une vipère. Brasse-Bouillon est fort comme Hercule, et, s'il terrasse cette vipère-là, il pourra triompher de toutes les autres. Le lecteur trouve là une métaphore structurante, qui lui rappelle périodiquement qu'il assiste à un combat entre deux monstres. Ainsi, ce que le roman peut présenter d'excessif dans la peinture des caractères ou la violence des sentiments, est par avance justifié par le premier chapitre et par le retour de la métaphore. Réciproquement, ce que le premier chapitre peut avoir de figé ou d'emphatique sera *a posteriori* justifié par le cri final du narrateur adulte.

7 La société

LA FRANCE DANS LES ANNÉES 20

Le récit se déroule sous la IIIe République. De 1919 à 1924, la France a un gouvernement issu d'une majorité de droite, le Bloc National. En 1920, Georges Clemenceau, candidat à la présidence de la République et battu par Paul Deschanel, se retire de la vie politique. Les gouvernements qui se succèdent doivent alors faire face à des difficultés politiques, financières (baisse du franc et déficit budgétaire), économiques et sociales (reconstructions de l'après-guerre et grèves des ouvriers). En 1924, la droite est battue et, de 1924 à 1926, la France est gouvernée par le Cartel des Gauches[1], c'est-à-dire un regroupement des radicaux[2] et des socialistes. Après de nouvelles difficultés, en particulier financières, en 1926 Raymond Poincaré apparaît comme un sauveur : républicain, il rassure la gauche ; patriote, il rassure la droite. Il prend donc la tête d'un gouvernement d'Union Nationale. Après des augmentations d'impôts et des économies, il rétablit l'équilibre budgétaire par une dévaluation en 1928[3], avant de démissionner, épuisé, en 1929.

Plus largement, cette période de l'entre-deux-guerres voit s'accomplir une profonde et durable modification du paysage social, en particulier l'affaiblissement de la grande bourgeoisie. Jean Rezeau est bien placé pour observer ses soubresauts.

---

1. C'est ce Cartel des Gauches qui inspire à Frédie le nom de Cartel des Gosses, quand les trois frères s'associent pour résister au retour de Folcoche.
2. Voir plus haut, p. 28, note 2.
3. Le narrateur fait allusion à cette dévaluation à propos de la fortune des Rezeau qui s'en trouve amoindrie.

LA PEINTURE DE LA SOCIÉTÉ

La bourgeoisie

Par son père, Jean Rezeau est issu de la grande bourgeoisie terrienne, et, par sa mère, de la grande bourgeoisie financière. M. Rezeau explique à ses fils les subtiles subdivisions de la classe sociale à laquelle ils appartiennent. On trouve, d'après lui, au sommet de la hiérarchie, la *bourgeoisie spirituelle* (relative au domaine de l'esprit et de la morale, par opposition au domaine matériel) ; au-dessous, la bourgeoisie des professions libérales et la *bourgeoisie financière;* enfin, la plus méprisable à ses yeux, la *bourgeoisie commerçante.*

Les Rezeau font donc partie de la *bourgeoisie spirituelle,* qui possède la terre et qui a souvent donné à la patrie des hommes illustres – un capitaine vendéen, un député et un académicien chez les Rezeau. Elle est patriote, conservatrice, catholique. Quand ils n'entrent pas dans les ordres, les hommes répugnent à travailler ou, s'ils y sont contraints par l'insuffisance de leurs revenus, choisissent un emploi qui ne les déshonore pas : M. Rezeau est d'abord professeur dans une université catholique, puis, à la fin du roman, magistrat.

C'est à travers les propos conservateurs de M. Rezeau que le narrateur fait apercevoir les principaux partis politiques français. La bête noire de M. Rezeau, c'est Herriot, qui est à la fois franc-maçon et radical[1]. « Ne parlons pas des communistes, ni même des socialistes : on ne discute pas le bien-fondé des sentiments politiques que peuvent avoir les voleurs et les assassins. » A ce sujet, la discussion entre M. Rezeau et le lecteur de *L'Humanité,* dans le train, représente la brève rencontre de deux mondes étrangers l'un à l'autre.

La caractéristique de cette bourgeoisie terrienne est de tourner le dos au progrès. Comme elle ne s'adapte pas à l'économie moderne, les biens sont mal gérés et les maisons restent inconfortables. Jean Rezeau prend conscience de ce refus du siècle au cours de la réception donnée en l'honneur de René Rezeau et qui apparaît

---

1. Pour la définition de ces termes, voir ci-dessus, p. 28, notes 1 et 2.

comme « le chant du cygne » avant « l'irrémédiable décadence ». Devenu adulte et narrateur, il fait dire à l'adolescent qu'il était alors : « Le monde s'agite (...), il vit, et nous n'en savons rien, nous qui n'avons même pas la T.S.F. pour l'écouter parler, il vit, et nous allons mourir » (p. 221).

La *bourgeoisie financière,* représentée dans le roman par les Pluvignec, gagne de l'argent et habite de préférence à Paris, dans les quartiers élégants. Les Pluvignec participent à la vie politique et à la vie mondaine. Ils ne répugnent pas à suivre les modes les plus futiles.

Quant à la *bourgeoisie commerçante,* peu fréquentable pour les Rezeau, on ne voit aucun de ses représentants, à l'exception de M. Ladourd, qui fait une brève apparition mais que le lecteur retrouvera dans *La Mort du petit cheval* : il a fait fortune dans les peaux de lapin, et c'est avec réticences que M. Rezeau l'invite (p. 218).

Les familles de la bourgeoisie ont encore de nombreux domestiques ; leurs enfants sont élevés par des gouvernantes, instruits par des précepteurs et vouvoient leurs parents. On s'y sent beaucoup plus solidaire des nobles que du peuple : on copie leurs châteaux et, comme eux, on épouse une dot pour refaire sa fortune.

La noblesse

Quelques représentants de la noblesse sont conviés à la réception donnée à *La Belle Angerie.* Parmi eux, les notables de la région : le marquis Geoffroy de Lindigné, député conservateur du Maine-et-Loire ; le comte de Soledot, maire et conseiller général. Puis ceux qui sont unis par alliance à la famille Rezeau : la comtesse Bartolomi, le baron et la baronne de Selle d'Auzelle. Le narrateur ne leur donne pas la parole ; ils restent des figurants.

Au cours du voyage, M. Rezeau se propose de faire étape chez le baron de la Villéréon, châtelain à Sigoules, mais celui-ci se contente d'offrir aux visiteurs un verre de cassis. On va séjourner ensuite chez le comte de Poli, un ancien magistrat colonial que M. Rezeau a connu en Chine. Il possède encore son majestueux château du Gers, avec tennis, bateau et salle de jeux. Mais comme il est devenu gâteux, on ne saura rien de plus de lui.

Jean, qui voit ces représentants de la noblesse partager avec la bourgeoisie terrienne les mêmes valeurs conservatrices, affiche à leur égard indifférence ou mépris.

L'Église

Plusieurs membres de la famille Rezeau appartiennent à l'Église. M. Rezeau a quatre sœurs religieuses et un frère chanoine, Michel Rezeau, qui apparaît deux fois : il donne une fessée à Jean au premier chapitre et part ensuite soigner sa tuberculose en Tunisie; on l'aperçoit encore à la réception donnée en l'honneur de René Rezeau.

On ne rencontre jamais « Monseigneur », c'est-à-dire l'archevêque. C'est pourtant lui qui accorde aux Rezeau le renouvellement de l'indult[1], un moment remis en cause parce qu'un précepteur a dénoncé les mauvais traitements que Folcoche inflige à ses fils. On aimerait bien savoir comment il s'arrange avec sa conscience pour renoncer à prendre plus de renseignements sur la vie des enfants et accorder l'indult en échange d'un don (considérable, il est vrai) aux œuvres du diocèse.

À côté de ces privilégiés de l'Église, on trouve les curés de campagne, le curé Létendard à Soledot, et surtout Toussaint Templerot, curé d'un village de Dordogne, bon vivant, indulgent et accueillant. Viennent enfin les déshérités de l'Église qui, après des infortunes diverses, deviennent précepteurs chez les Rezeau. Ils sont peu savants, parfois malades, toujours pauvres. Par ailleurs, ce sont de braves gens, même le dernier : aucun ne suit Folcoche jusqu'au bout de son programme d'éducation.

La vie des Rezeau est rythmée par les rites religieux. Le Craonnais est une région profondément conservatrice et catholique, où l'on célèbre plus volontiers la Sainte Jeanne d'Arc que le 14 Juillet. Dans le parc de *La Belle Angerie*, on trouve des statues de saints, et les enfants assistent à la messe chaque matin.

---

1. L'indult est un privilège accordé par le pape à une communauté ou à un particulier. La famille Rezeau avait obtenu le droit d'entendre la messe à domicile, même le dimanche.

Dans l'esprit de Brasse-Bouillon, la religion est trop étroitement liée à Folcoche pour être supportable. On se souvient que M. Rezeau n'a pas pu épouser la jeune fille qu'il aimait parce qu'elle était protestante ; et c'est ainsi que Mlle Pluvignec est devenue Mme Rezeau, donc la mère de Jean. Ensuite, tant qu'elle essaie de sauver les apparences, elle donne aux brimades et privations des prétextes religieux. Jean associe à la religion toutes les formes de répression ou d'inquisition. Rappelons que lorsque les enfants se livrent à des sacrilèges dans les églises (chap. 16), c'est Folcoche qu'ils veulent blesser et souiller.

Les classes laborieuses

Autour de Jean vivent quotidiennement des domestiques et des paysans et, au cours de son voyage et de sa fugue, il rencontre des employés. Ses parents lui ont laissé croire qu'il appartenait à une classe sociale supérieure et qu'il pouvait mépriser le peuple : il n'a donc pas plus d'indulgence pour le poinçonneur de tickets, dans le métro parisien, que pour Madeleine, la jeune fermière. Quant au narrateur adulte qu'il est devenu, il dénonce chez les paysans du Craonnais « une grande soumission envers la cure et le château » ; il les trouve « serfs dans l'âme » (p. 16).

Néanmoins, si l'on se demande quels sont les personnages qui, dans ce roman incisif, incarnent en quelque manière la générosité, l'indulgence ou le courage, c'est plutôt dans le peuple qu'on les trouve : chez Marguerite, la servante de Templerot, fille d'une épicière ; chez Fine, chez Ernestine Lion, chez l'ancien caporal de M. Rezeau. Mais, là encore, il faut se garder d'avoir un regard simplificateur : en effet, le personnage cher au cœur du narrateur, celui qui incarne à jamais la justice et la tendresse, c'est la grand-mère Rezeau, cette « grande dame » ... pur produit de la grande bourgeoisie spirituelle !

8 La famille dans Vipère au poing

On a pu dire, à juste raison, que la famille est le sujet central de l'œuvre d'Hervé Bazin, de *Vipère au poing* au *Démon de minuit*. Lors de sa publication, *Vipère au poing* est apparu comme un règlement de comptes de l'auteur avec sa propre famille (voir plus loin, p. 64). Les Rezeau, en effet, constituent une famille caricaturale, une sorte d'anti-famille (comme on a pu dire de Folcoche qu'elle était une anti-mère). Nous verrons néanmoins que l'esprit de famille n'y est pas complètement détruit. Dans un premier temps, il convient de rappeler ce qui, dans le roman, est conforme aux habitudes familiales du début du XXe siècle.

LA VIE DE FAMILLE AU DÉBUT DU XXᵉ SIÈCLE

L'éducation

Pour faire la part de ce qui, dans la vie des Rezeau, est lié aux coutumes de l'époque, le lecteur dispose d'un point de repère : ce qui est dit dans les premiers chapitres, quand Ferdinand et Jean vivent heureux auprès de leur grand-mère. Par exemple, il paraît tout à fait légitime au narrateur que le petit garçon qui a joué avec un serpent reçoive une fessée (p. 11), ou que les enfants désobéissants soient privés de dessert (p. 20). De même, ce ne sera pas une originalité de Folcoche d'exiger que ses fils se soumettent à des horaires stricts, ne prennent pas la parole à table, participent aux travaux de la maison et du jardin.

Il est courant aussi que l'instruction obligatoire soit, dans les familles nobles et bourgeoises, dispensée à la maison par un précepteur, et d'ailleurs, comme le dit M. Rezeau, quand on a trois enfants, c'est bien plus économique que de payer leur pension dans un collège.

L'argent

Dans ce domaine aussi il faut faire la part des coutumes de l'époque. Il est normal que M. Rezeau alloue à son épouse des crédits définis, répartis à l'avance sur les différents chapitres du budget, qu'elle soit très économe, que les enfants aient peu de jouets, peu de vêtements et peu de loisirs. Ce qui est réellement étonnant, ce sont les aménagements très particuliers que Folcoche apporte à cette vie de famille.

LA FAMILLE REZEAU : UNE ANTI-FAMILLE

L'absence d'amour

Entre M. et Mme Rezeau, il n'est pas question d'amour : leur mariage est bâti sur l'argent et la raison. Il n'est jamais remis en question et apparaît comme une association dans laquelle les rapports sont clairement fixés : Mme Rezeau a apporté sa fortune et M. Rezeau lui obéit.

Il n'est pas question non plus d'amour maternel. La haine tissée entre Folcoche et ses fils ne laisse place à aucune manifestation de tendresse. Quand elle est hospitalisée, elle ne demande à voir ses enfants qu'après trois mois d'absence et, déçue de constater que les deux aînés ont grandi et pris quelques libertés, elle renonce à faire venir Marcel. Au moment même de son départ en clinique, ses adieux consistent « en trois baisers, jetés du bout des lèvres, comme trois signes de ponctuation, au milieu du front de chacun » (p. 93-94). Elle y trace aussi une petite croix, mais avec la pointe de l'ongle, comme un coup de griffe !

Les rapports des garçons et de leur père sont un peu plus complexes. En effet, le mépris de Jean pour M. Rezeau n'empêche pas quelques marques d'affection. À Paris, lors de la réconciliation, on voit le père prendre son fils dans ses bras, au nom de « l'esprit de famille » (p. 202) ; il lui prend aussi le bras affectueusement, au soir de la grande réception familiale du chapitre 21.

L'arbitraire et la cruauté de Folcoche

Ce n'est pas la sévérité de Folcoche qui rend la vie insupportable autour d'elle, mais le caractère arbitraire et cruel de toutes ses décisions : elles sont liées à sa seule volonté, souvent aux dépens de la *justice* ou de la *raison.* Est-il *raisonnable* de tondre les cheveux des enfants avec la tondeuse réservée à l'âne, alors qu'ils habitent un pays froid et humide ? Est-il *juste* de servir de la soupe pour le petit déjeuner des deux aînés, alors que Marcel aura du lait ? Depuis les gifles données à la gare de Segré, jusqu'à la machination du portefeuille caché dans la chambre de Jean, tout n'est qu'injustices, caprices, brimades.

Le narrateur donne la parole à ce sujet aux personnages du roman qui sont les mieux placés en matière de vie de famille et d'éducation : Tante Thérèse n'attend rien de bon du retour de Mme Rezeau auprès de ses fils (p. 33) ; la gouvernante aime mieux être renvoyée que de cautionner les méthodes de Folcoche (p. 51) ; les précepteurs successifs finissent tous par adoucir les décisions de Folcoche, fuir la famille Rezeau, voire même la dénoncer aux autorités ecclésiastiques. Parmi les membres de la famille proche, enfin, les Pluvignec savent à quoi s'en tenir sur la caractère de leur fille et la lâcheté de leur gendre.

L'absence d'activités communes

Seuls les repas réunissent régulièrement les Rezeau, et on n'y échange que quelques mots en anglais. Ils ne partent jamais en vacances, ne se retrouvent pas pour la veillée, ne sortent même pas pour aller à la messe puisqu'ils bénéficient de l'indult (voir ci-dessus, p. 49).

C'est seulement lorsque Folcoche est hospitalisée que Frédie et Brasse-Bouillon découvrent le plaisir de se promener avec leur père en bavardant (p. 99). En présence de Folcoche, tout est prévu pour que les Rezeau se rencontrent le moins possible.

M. Rezeau a deux passions : la généalogie et l'entomologie. La première est liée à son respect des traditions bourgeoises. La seconde constitue surtout pour lui une échappatoire : absorbé dans la contemplation d'une mouche, il s'abstrait de ce qui se passe autour de lui. Quant à Mme Rezeau, outre ses tâches de maîtresse de maison, elle a une « grande passion », collectionner les timbres (p. 36), et elle n'y associe jamais ses proches.

Les enfants n'ont guère de loisirs (voir ci-dessus, p. 39). Lors de la première réception (p. 83), on les voit faire le quatrième au bridge et ramasser les balles de tennis, mais le lecteur n'entend à aucun autre moment parler d'un court de tennis à *La Belle Angerie* ou de jeux de société pratiqués en famille. À une époque où les Français aisés pratiquent volontiers les jeux de plage, les enfants ne savent pas nager et n'ont jamais vu la mer.

En fait, la cruauté de Mme Rezeau, la faiblesse de M. Rezeau et la méfiance des enfants à l'égard de leurs parents font qu'ils n'ont aucune affinité et qu'aucun plaisir ne les réunit.

L'avarice

L'avarice de Folcoche s'exerce au détriment de tous : de ses enfants, de son mari et de Fine, éternellement payée cinquante francs par mois.

• Les vêtements

Les enfants, du temps de la grand-mère, changeaient de chemise tous les samedis (p. 23) ; sous le règne de Folcoche, ils se changent tous les quinze jours en été et toutes les trois semaines en hiver (p. 168) ; et ils changent de chaussettes toutes les six semaines ! La grand-mère leur faisait porter des galoches en été (chaussures de cuir à semelles de bois) et des bottillons de caoutchouc en hiver ; leur mère leur fait fabriquer des sabots très lourds dans lesquels Marcel met des chaussons mais que les aînés bourrent avec de la paille (p. 55). Ils ont un seul costume pour trois et leurs caleçons sont taillés dans des vieux draps. Las d'être la risée des paysans voisins, Frédie et Jean profitent du voyage dans le Gers pour se faire acheter par leur père un costume et une cravate convenables (p. 125), et ils attendent avec impatience de porter l'uniforme et la casquette qui leur seront imposés au collège (p. 252).

La tenue des parents n'est évoquée que pour tracer de rapides caricatures (le chapeau en forme de cloche à fromage que porte Folcoche à son retour de Chine) ou pour montrer combien ils sont démodés (M. Rezeau n'abandonne ses bottines pour des souliers bas que lorsqu'il part en voyage).

• **La nourriture**

Quand Jean évoque les premiers mois passés auprès de sa mère, avant qu'elle ne parte en Chine, il imagine des « biberons additionnés d'eau sale » (p. 20). Vient ensuite le temps passé chez la grand-mère, avec les confitures et les tartes aux prunes. Mais Folcoche revient : il faut se contenter d'une soupe le matin et d'une tartine à quatre heures. Aux repas, on calme sa faim avec des haricots rouges; pendant la période de la chasse, on mange du gibier jusqu'à la nausée; parfois même du poisson pourri acheté au rabais.

Pour le voyage, Folcoche prépare des provisions détestables, destinées à durer trois jours. Les fraises du jardin sont réservées aux invités. Ce n'est que chez l'abbé Templerot que Frédie et Brasse-Bouillon découvrent le chocolat chaud, les brioches et les tartines beurrées. À cela il faut ajouter force cuillerées d'huile de foie de morue, administrées par brimade plus que pour l'apport en vitamines. Enfin, quand Frédie est malade d'avoir trop mangé de haricots rouges, on le purge à l'huile de ricin.

En somme, la vie de la famille Rezeau est à l'image du caractère de Folcoche : haineuse et destructrice. Pourtant, lorsque Brasse-Bouillon est en voyage, privé des interdictions de sa mère, il s'ennuie et regrette la vie à *La Belle Angerie* : la haine constitue peut-être le lien le plus solide de la famille Rezeau.

LA FAMILLE REZEAU : UNE FAMILLE MALGRÉ TOUT ?

La tradition

M. Rezeau rêve de transmettre à ses enfants une haute idée de leur famille et s'efforce de maintenir vivants les usages hérités de ses ancêtres. Par exemple, chaque année, il réunit « les deux cents notables du coin » (p. 81). C'est lui aussi qui prend l'initiative d'une réception exceptionnelle donnée en l'honneur de René Rezeau, l'académicien de la famille. M. Rezeau n'oublie jamais qu'il est « le chef de la branche aînée » (p. 216) et que *La Belle Angerie* est la « capitale bicentenaire de la famille Rezeau » (p. 216).

Subsistent aussi quelques traditions charmantes, probablement héritées du temps de la grand-mère. Par exemple, M. Rezeau se prénomme Jacques et sa fête a lieu le 1er mai : ce jour-là, ses enfants lui offrent des roses (p. 163).

Il existait aussi à *La Belle Angerie,* avant l'arrivée de Folcoche, une jolie coutume familiale : lorsqu'un rayon de soleil d'été passait sur une tapisserie de la salle à manger qui représente *Amour et Psyché,* l'assistance se levait pour se donner un baiser de paix. Le 14 juillet 1927, juste après le départ en clinique de Folcoche, « le soleil est sur l'*Amour* » : le père et ses fils se regardent, attendris, mais personne n'ose se lever (p. 96).

Des frères parfois complices

Frédie, Brasse-Bouillon et Cropette ne se ressemblent pas et ne s'aiment guère. Néanmoins, à défaut de fraternité, on peut souvent parler de complicité devant les dangers, de résistance commune à Folcoche, et d'entraide.

Leurs jeux sont liés à leur révolte contre leur mère et à la nécessité de s'organiser pour transgresser ses décisions arbitraires. Ils pratiquent la « pistolétade » à table (voir ci-dessus, p. 13) et guettent les machinations de Folcoche en l'observant avec une glace de poche qui fait office de rétroviseur (p. 239). Ils trafiquent les serrures, arrosent les hortensias avec de l'eau de Javel, se livrent au vandalisme dans les églises, gravent « V.F. » (« vengeance à Folcoche ») sur les arbres du parc. Quand Folcoche est malade, ils chantent en chœur : « Folcoche va crever... », pendant que Frédie fait le guet et crie à l'approche de son père : « Pet-pet. Le vieux qui revient ! » (p. 108).

Cette complicité, si elle tient lieu d'esprit de famille, ne durera pas au-delà de l'adolescence des garçons : ils se rencontreront le moins possible à l'âge adulte, lorsqu'il ne leur sera plus nécessaire de s'entraider pour survivre[1].

---

1. Voir *La Mort du petit cheval* et *Cri de la chouette.*

Un parfum d'enfance

Bien que la complicité et les jeux des trois frères naissent de la haine plus que de la gaieté, il règne incontestablement dans ce roman un parfum d'enfance, comme une force vive que Folcoche ne peut pas complètement briser. Ces trois garçons brimés et même « martyrisés », on les retrouve joyeux à la chasse, quand ils servent de rabatteurs à leur père et reviennent tout fiers de leurs « tableaux mémorables » (p. 63). Ils pêchent dans l'Ommée, braconnent, descendent l'escalier sur la rampe (p. 43), et utilisent un code pour s'avertir du danger.

Le plus souvent, tous ces divertissements finissent mal : les gifles tombent dru. Mais, même dans les périodes de répression, les enfants restent actifs et inventifs. Frédie et Jean communiquent d'une chambre à l'autre par un petit trou qu'ils ont percé derrière le crucifix, à la tête de leur lit (p. 183). Brasse-Bouillon, puni, organise sa chambre comme un camp retranché et s'enfuit par la fenêtre ! Les trois garçons s'associent en un Cartel des gosses (voir ci-dessus, p. 15) et on s'amuse de leurs plans stratégiques : ils organisent le ravitaillement des troupes, volent des œufs et accumulent « un trésor ». Ils rédigent même une « déclaration des droits » et décident que Cropette sera « agent double ». Tout cela sent un peu le roman d'aventures ou d'espionnage. Ferdinand, Jean et Marcel restent, en dépit de tout, de vrais enfants.

La vie de famille, dans *Vipère au poing,* c'est la cohabitation des cinq membres de la famille Rezeau à *La Belle Angerie,* dans une atmosphère de haine, de méfiance et de souffrance ; pourtant, le lecteur sent parfois souffler un air d'enfance que le narrateur ne parvient pas à rendre tout à fait irrespirable.

9 La révolte

Le lecteur d'aujourd'hui a de la peine à imaginer le scandale que provoqua, en 1948, la parution de *Vipère au poing.* Ce qui parut alors scandaleux, c'est bien sûr le personnage de Folcoche, mais aussi le caractère implacable de la révolte de Brasse-Bouillon.

QUI SE RÉVOLTE?

La révolte des personnages secondaires

La plupart des personnages secondaires, à l'exception de la pauvre Fine, ne restent pas longtemps à *La Belle Angerie.* La première à être congédiée est Ernestine Lion, la gouvernante, qui « objecte courageusement » que le climat du Craonnais ne justifie pas que l'on tonde les cheveux des enfants (p. 47). Quelques jours plus tard, lorsque Folcoche fait avaler à Frédie de l'huile de ricin et le gifle violemment parce qu'il se met à vomir, Mlle Lion se rebelle avant d'être renvoyée.

Le quatrième précepteur se révolte timidement, indigné de voir que l'on organise une coûteuse réception mais que les garçons n'ont pas de vêtement convenable pour cette circonstance (chap. 10). Il est bien sûr renvoyé. Quant au cinquième précepteur, il part en « claquant les portes » (p. 89) et dénonce les méthodes d'éducation de Mme Rezeau auprès des autorités religieuses.

Il faut remarquer que le courage soudain d'un personnel habituellement soumis rend plus légitime encore, aux yeux du lecteur, la révolte des autres membres de la famille Rezeau.

La révolte de M. Rezeau

Faible et fuyant, M. Rezeau apparaît comme un mari soumis. Pourtant, il se révolte une fois, au retour de la chasse : « Non, mais, Paule ! Est-ce que tu vas nous foutre la paix, oui ! » et, quelques instants après : « Je dis que tu nous casses les oreilles. Laisse ces enfants tranquilles et fous-moi le camp dans ta chambre » (p. 65). On ne peut attribuer ce courage inhabituel et ces écarts de langage – en présence des enfants – qu'à un sentiment éphémère de virilité donné à M. Rezeau par un tableau de chasse particulièrement brillant ce jour-là.

La révolte de Ferdinand et de Marcel

Ferdinand et Marcel ne sont eux aussi que de piètres représentants de la révolte. Pourtant, ils participent au pillage et saccage des églises (chap. 16), font partie du Cartel des gosses (voir ci-dessus, p. 15), et tentent d'organiser avec Jean l'assassinat de leur mère. En fait, ils ne manquent pas de raisons de se révolter mais, comme leur père, ils manquent de courage et laissent à Jean l'exclusivité d'une haine impitoyable.

La révolte de Jean

Le principal révolté est le deuxième fils, celui qui brave le regard de sa mère, supporte vaillamment les coups, déjoue les pièges et fomente les complots. On attend un enfant martyr, soumis ou résigné, affaibli par les privations. Or Jean se révèle solide, nourri de haine et de rage. Le lecteur n'a guère l'occasion de plaindre ce garçon, certes constamment brimé, mais toujours combatif. Dans le duel qui oppose Folcoche et Brasse-Bouillon, il y a bien une méchante, mais il n'y a pas de bon, ou du moins pas de héros qui suscite la pitié.

La révolte de Jean devenu narrateur

Vingt-cinq ans après le début des événements rapportés, le narrateur n'a rien pardonné ; il nourrit son récit d'une haine intacte et analyse les objets et les formes de sa révolte.

CONTRE QUI, CONTRE QUOI SE RÉVOLTENT-ILS ?

L'ennemie est Mme Rezeau, et c'est contre les brimades qu'elle impose aux enfants que se révoltent ses employés successifs, son mari (rarement) et ses trois fils (inégalement).

La révolte de Jean contre sa mère s'affermit au fil des épreuves ; mais l'enfant grandit et c'est aussi sa vision du monde qui est largement affectée par un sentiment de haine. Il déteste la force de sa mère, mais aussi la faiblesse de son père. Il déteste ensuite tout ce que représentent ses parents : la famille, la bourgeoisie provinciale, l'immobilisme social, le refus du modernisme, les principes, et tout particulièrement les principes religieux dont se réclame sa mère. À cause de Folcoche, il déteste même les femmes, et sa première victime est la pauvre Madeleine qui ressemble pourtant bien peu à Mme Rezeau.

LES FORMES DE LA RÉVOLTE

L'union

Quand trois enfants élevés ensemble subissent de mauvais traitements, leur première défense consiste à s'associer. Les frères sont complices devant « la pistolétade » (voir ci-dessus, p. 13) ; ils gravent ensemble, sur les arbres du parc, « V.F. » : vengeance à Folcoche ! Lorsque l'hospitalisation de leur mère leur permet de goûter pendant quelques mois à une vie moins contraignante, ils constituent le « cartel des gosses » (voir ci-dessus, p. 15). On n'est pas loin du roman d'aventures, avec cachette, trésor et secret juré : une révolte en forme de jeu.

La guerre

Lorsque Folcoche revient de la clinique, elle déclare la guerre aux garçons pour vaincre la résistance qu'ils ont organisée. Tout le chapitre 13 file la métaphore : Folcoche « contre-attaque », change de « tactique », reprend « les rênes du gouvernement », tente de « diviser » pour mieux « coloniser » ; elle « prépare le terrain », retarde le moment de « démasquer ses batteries » et met au point une « manœuvre » qui sera le voyage dans le Sud-Ouest.

Dans l'autre « camp », se trouvent la « première ligne paternelle » et toute une « coalition ». Mais Petit-Jean, le fils des voisins, est rapidement « neutralisé » par Folcoche et ne peut pas servir d'« espion » ; quant à l'abbé, il manque de « flair diplomatique ». Cropette, « l'agent double », ne doit pas « repousser » Folcoche trop vite, afin de fournir des renseignements utiles pour la « défense nationale ».

Les sacrilèges

Les enfants se rendent coupables de sacrilège, c'est-à-dire de manque de respect, lorsqu'ils profanent les églises (lire l'étonnante énumération de leurs méfaits, p. 169-170). Mais les « trois enfants dénaturés » commettent aussi une autre forme de sacrilège lorsque Folcoche est hospitalisée : ils dansent une « ronde infernale », et chantent dans un « affreux enthousiasme » en espérant la mort de leur mère.

Les tentatives d'assassinat

Les trois frères décident d'assassiner leur mère d'abord par le poison, et, après un échec, par la noyade. Les deux aînés manifestent une tranquille assurance, s'interrogeant seulement sur la quantité de poison nécessaire (p. 171). Après le premier échec, Jean rassure les autres : « Ne vous en faites donc pas ! Nous la repincerons. Un accident est vite arrivé » (p. 173).

La révolte révèle ici l'impitoyable logique des enfants : leur mère est une mauvaise mère, ils vont la tuer. Et il vaudrait mieux ne pas faire les choses à moitié : « Elle va s'en tirer, la garce ! », dit Frédie (p. 176). Folcoche survit effectivement, et Jean préfère ne pas attendre le châtiment : il s'enfuit et va assumer seul, désormais, les conséquences d'une révolte ouverte.

La fugue et la fuite

Le premier acte de révolte qui va vraiment atteindre Folcoche est la fugue de Jean, parce qu'elle fait sortir le conflit familial des limites de *La Belle Angerie*. Elle constitue effectivement un acte de rébellion et non une tentative pour échapper réellement à Folcoche, puisque l'adolescent s'enfuit là où il est sûr qu'on le retrouvera : chez ses grands-parents.

Tout autre est sa détermination à la fin du roman, lorsqu'il s'organise pour obtenir son départ en pension et celui de ses frères. Son père devra se remettre au travail pour payer les frais d'internat; sa mère sera privée de son pouvoir tyrannique, et les enfants trouveront leur première vraie liberté dans un enfermement qu'ils auront choisi.

L'engagement politique

Bien que le narrateur arrête son récit au moment où les enfants partent en pension, il est censé connaître la suite et peut anticiper sur ce que deviendra plus tard la révolte de Brasse-Bouillon : « Je suis le choix de la révolte (...) je suis leur contradiction, le saboteur de leur patiente renommée, un chasseur de chouettes, un charmeur de serpents, un futur abonné de *L'Humanité* » (p. 213-214). Ainsi, l'on entrevoit que le narrateur adulte (comme l'auteur lui-même) choisira l'engagement marxiste.

Le témoignage écrit

Le plus visible témoignage de la révolte de Jean est le récit lui-même, qui constitue une vengeance froide et durable. Reprenons l'exemple des deux tentatives d'assassinat de Folcoche au chapitre 16. S'il est bien sûr étonnant de voir à l'œuvre la haine des enfants, il est bien plus provocant encore de trouver un narrateur qui ne s'indigne pas. On lit par exemple : « Tout se passa correctement. Mais hélas ! nous n'avions pas prévu... » (p. 172) sans que le lecteur sache si ce « hélas » est celui des enfants ou celui du narrateur qui regrette l'échec de la tentative. Et lorsque l'adulte constate : « Je ne m'interrogeais pas sur l'énormité du crime, aussi naturel à mes yeux que la destruction des taupes ou la noyade d'un rat» (p. 173), le lecteur attend en vain une interrogation ou un remords plus tardifs.

Hervé Bazin donne une suite à cette révolte dans *La Mort du petit cheval,* publié deux ans après *Vipère au poing.* Jean, une nouvelle fois narrateur, s'entend dire par une amie qui le connaît bien : «Ta révolte d'enfant t'a permis d'échapper à ton destin, qui eût été celui d'un insipide et prétentieux Rezeau Elle n'a plus de sens aujourd'hui parce qu'elle n'a plus d'objet. Mais le pli est pris : toute ta vie, tu vomiras ton dégoût de l'injustice... » (p. 143). Ce qui confirme, s'il en était besoin, que Folcoche, véritable objet de la révolte, a laissé à son fils un rapport au monde marqué par l'arbitraire de ses méthodes d'éducation. En fait, il ne se trouve à peu près guéri de sa haine que dans *Cri de la chouette,* publié vingt-deux ans plus tard. À la fin de cet ouvrage, Mme Rezeau meurt en disant : «Folcoche va... crever.»

Bien sûr, Jean Rezeau n'est pas tout à fait Hervé Bazin ; mais les voix de l'auteur et du narrateur se confondent encore dans cette analyse rétrospective : «Pour qui, dès le départ, a eu la certitude d'être volé, privé de quelque chose d'essentiel, le monde, tant qu'il n'aura pas remboursé, doit être décrié, dépouillé, scandalisé, mis en pièces. C'est une façon de s'y insérer : celle du poignard dans la plaie[1].»

---

1. *Abécédaire,* p. 232.

10 Un roman traditionnel

Vipère au poing est un ouvrage écrit à la première personne, comme le sont, par exemple, sur le thème de l'enfance malheureuse, *L'enfant* de Jules Vallès et *Poil de Carotte* de Jules Renard. Il est légitime de se demander quelle est ici la part du récit autobiographique. D'autre part, ce roman, publié en 1948, appartient à une période de l'histoire littéraire où l'on ne remet pas encore en cause les caractères du genre romanesque : l'ouvrage présente une histoire aisément lisible, dans laquelle évoluent des personnages crédibles. Il s'agit donc d'un roman qui s'inscrit dans la tradition réaliste. Enfin, l'étude de la structure du roman (voir ci-dessus, p. 41) a fait apparaître des aspects qui permettront d'inscrire *Vipère au poing* dans la tradition du roman d'apprentissage.

UN ROMAN AUTOBIOGRAPHIQUE ?

Un témoignage autobiographique

Le lecteur de 1948 a cherché à savoir quelles étaient les ressemblances entre l'enfance de Brasse-Bouillon et l'enfance d'Hervé Bazin. L'ouvrage lui-même fournit des éléments qui suggèrent une part autobiographique. Le premier de ces éléments est le personnage de René Rezeau, dont les caractéristiques correspondent à ce que le lecteur sait du véritable grand-oncle de l'auteur, René Bazin, écrivain et académicien. Le second élément est la date même de la publication, 1948, que l'on peut confronter avec les indications données par le narrateur : un récit écrit vingt-cinq ans après des faits qui se seraient déroulés en 1922 (p. 15 et 20). Enfin, le narrateur se prénomme Jean, et le véritable nom de l'auteur est Jean-Pierre Hervé-Bazin.

Pour le reste, on peut se reporter à ce que l'on sait de la vie d'Hervé Bazin et les similitudes deviennent alors très nombreuses. Comme Jean Rezeau, il a deux frères, dont l'aîné se prénomme Ferdinand. Son père, *Jacques* Hervé-Bazin, fut professeur de droit puis juge et entomologiste. Sa mère, *Paule* Guilloteaux, a rejoint son mari en Chine... À-t-elle donné des marques de tendresse à ses fils ? Non, et c'est pourquoi l'on a pu rapprocher la révolte du narrateur de celle de l'auteur (voir ci-dessus, p. 63). Quant à *La Belle Angerie,* elle ressemble beaucoup au domaine du Patys où l'auteur a passé son enfance (voir ci-dessus, p. 34).

Hervé Bazin lui-même a donné de nombreux éléments d'information tout au long d'*Abécédaire* : on y retrouve les véritables personnes que furent sa grand-mère, ses parents, son grand-oncle, ses frères, Mlle Lion, Fine, et aussi le Craonnais et l'Ommée. Cet ouvrage ne comporte pas moins de vingt-quatre allusions à sa mère, dont aucune n'est contraire à l'image de Folcoche.

Un roman autobiographique

Vipère au poing est un ouvrage écrit à la première personne par un narrateur qui ressemble à Hervé Bazin, mais qui s'appelle Jean Rezeau. Le narrateur, qui est aussi le personnage principal, ne porte pas le même nom que l'auteur : il n'est donc pas permis de les confondre. Hervé Bazin a choisi la forme romanesque : il présente des personnages de fiction et leur donne vie à l'intérieur d'une structure qui est une composition originale. Le premier chapitre du roman est particulièrement significatif à ce sujet, avec cet enfant presque mythique qui étouffe une vipère, et que l'on retrouve au dernier chapitre, sous les traits d'un jeune homme brandissant encore une vipère. Comme l'affirme l'auteur : « L'écriture organise même quand elle se contente d'énumérer, d'enregistrer [...] On gomme, on privilégie certains souvenirs, quand on ne les refait pas[1]. »

---

1. *Abécédaire,* p. 36.

Pour mettre un terme aux questions qui lui étaient posées sur la part autobiographique de ses romans, Hervé Bazin a donné à *Cri de la chouette* un exergue qui constitue une mise au point : « *Vipère au poing* et *La Mort du petit cheval* étaient déjà des romans. *Cri de la chouette,* leur suite, l'est aussi : l'identification des personnages avec des personnes serait illusoire. »

UN ROMAN RÉALISTE

Vipère au poing est un roman qui s'inscrit dans la tradition réaliste : l'auteur s'attache à une peinture exacte de la vie sociale et à une observation scrupuleuse de la réalité.

La réalité provinciale

Le deuxième chapitre du roman donne au lecteur une minutieuse description de *La Belle Angerie* et présente les origines de la famille Rezeau, en la situant dans un cadre historique et géographique. Le lecteur apprend à connaître la société provinciale de l'époque (voir ci-dessus, p. 47), et il découvre la campagne à travers un regard très attentif aux particularités du Craonnais.

En effet, Hervé Bazin apparaît attaché à la terre, à l'eau, aux arbres. Il arrive que le narrateur emprunte parfois au patois craonnais le mot juste qu'il recherche : un « piron » pour un oison (p. 227), une « rotte » pour une barrière (p. 231), « sourneiller » pour rôder ou guetter (p. 236).

Le rôle de l'argent

Traditionnellement, l'argent occupe une place importante dans le roman réaliste. *Vipère au poing* ne fait pas exception. Rappelons que lorsque Jacques Rezeau a épousé Paule Pluvignec, elle lui a apporté une dot considérable : trois cent mille francs-or (p. 19). Mais, depuis la guerre de 1914-1918, l'inflation a beaucoup amoindri cette fortune que M. Rezeau gère sans habileté. Les fermes ne rapportent plus guère (mille huit cents francs par an pour la Vergeraie) et le revenu annuel total est environ de trente-six mille francs[1] (p. 81).

UN ROMAN D'APPRENTISSAGE

Vipère au poing raconte comment Jean Rezeau passe de l'état d'enfance à l'état d'adulte. En cela, il s'agit d'un roman d'apprentissage, c'est-à-dire d'un récit dont le héros se forme à travers les expériences et les rencontres.

L'influence prépondérante est bien sûr celle de sa mère. Mais chaque chapitre présente une étape particulière de sa maturation. Les plus importantes sont la mort de sa grand-mère, l'hospitalisation de sa mère, le voyage dans le Sud-Ouest et la fugue.

À la fin du roman, Jean a beaucoup appris, et sa haine lui a donné un regard particulier sur le monde. Il aborde l'âge adulte tout meurtri par son enfance : « Celui qui n'a pas cru en sa mère, celui-là n'entrera pas dans le royaume de la terre » (p. 254).

---

1. Le lecteur est curieux de savoir, par exemple, ce que vaut le chèque de cinq mille francs dont le grand-père Pluvignec fait l'aumône à son gendre, ou ce que représentent les deux mille francs avec lesquels M. Rezeau achète le renouvellement de l'indult. Si l'on considère l'évolution des indices monétaires, il convient de multiplier par 3,8 environ un prix de 1925 pour obtenir son équivalent actuel. Mais il ne faut pas attribuer à ce coefficient une précision qu'il n'a pas.

11 Un point de vue original

UN RAPPEL THÉORIQUE

Le lecteur d'un roman dépend entièrement du point de vue du narrateur. Le narrateur, contrairement à l'auteur qui est une personne réelle, est la personne fictive qui raconte l'histoire. Le « point de vue » du narrateur désigne la position qu'il occupe par rapport à l'histoire. Lorsque le récit est écrit à la première personne et que le narrateur est lui-même un personnage de l'histoire, le point de vue est celui du narrateur qu'il est devenu, et non pas celui du personnage qu'il a été.

QUI PARLE ?

Le narrateur est un adulte, âgé d'une trentaine d'années, qui s'appelle Jean Rezeau, et parle à la première personne de l'enfant qu'il a été. Puisqu'il raconte une histoire qu'il a vécue vingt-cinq ans plus tôt, le « je » du narrateur n'est plus le « je » du personnage. Le narrateur est en effet un adulte qui évoque ses souvenirs : il sait ce que lui-même et les autres personnages sont devenus, et il a pris du recul par rapport à son enfance.

La première conséquence de ce point de vue est que le regard porté sur le monde est celui d'un personnage révolté. C'est à travers sa subjectivité, comme à travers un miroir déformant, que sont décrites – et critiquées – la société et la famille.

La deuxième conséquence est que les actes et les motivations des autres personnages ne sont connus du lecteur que par les yeux de Jean Rezeau. Il serait permis de s'interroger sur le point de vue du père, sur celui de Marcel, « l'agent double », et surtout sur celui de Folcoche. Ils restent dans l'ombre et il faut se contenter de leurs paroles rapportées, toujours choisies et commentées par le narrateur.

LES LANGAGES DU NARRATEUR

La voix de l'adulte

Le plus souvent, le langage du narrateur ne permet aucun doute : c'est un adulte qui écrit, et il évoque l'enfant qu'il était avec des mots d'adulte. C'est en effet l'homme, et non l'enfant, qui appelle Mme Rezeau « la contre-mère ». C'est lui aussi qui tente de rendre compte d'une enfance difficile à décrire en utilisant de nombreuses métaphores.

La voix de l'enfant

Néanmoins, il arrive que les mots de son enfance reviennent sous la plume du narrateur. On lit par exemple que Marcel « avait toujours l'air d'avoir fait dans son pantalon » (p. 37) ou que « papa », c'est-à-dire M. Rezeau, raconte ses souvenirs de guerre (p. 130). On sait même parfois à quelle époque un mot a commencé à être utilisé : c'est ainsi que Folcoche devient « la mégère » en 1927 ; le narrateur précise alors : « Nous venons d'ajouter ce terme à notre collection d'épithètes en cours » (p. 94).

Une mosaïque de voix

Parfois, les voix se font plus complexes. C'est ainsi que le narrateur écrit, lorsque l'enfant de quatre ans saisit une vipère, au premier chapitre : « Elle avait aussi de minuscules trous de nez, ma vipère, et une gueule étonnante, béante, en corolle d'orchidée, avec, au centre, la fameuse langue bifide – une pointe pour Ève, une pointe pour Adam –, la fameuse langue qui ressemble tout bonnement à une fourchette à escargots » (p. 8). Là, tout se passe comme si le narrateur reprenait les mots du petit enfant (« trous de nez », « ressemble à une fourchette à escargots ») pour les commenter lui-même avec des mots d'adulte (« corolle d'orchidée », « bifide », « Adam » et « Ève »).

LE RÔLE DU LECTEUR

Le lecteur interpellé

Le narrateur s'adresse souvent au lecteur explicitement désigné par le pronom « vous » : « Je *vous* raconte toutes ces choses... » (p. 130). Ou encore : « Je dois *vous* le dire... » (p. 225). Il semble parfois avoir peur de ne pas être cru : « Je ne répondis pas. Elle souriait. Je *vous* assure qu'elle souriait » (p. 87).

Lorsque Jean s'adresse exprès à sa mère avec une syntaxe incorrecte, il ajoute à l'intention du lecteur : « La tournure est impropre, *vous* le savez comme moi, mais... » (p. 165). Ce « vous » s'adresse ici à un lecteur qui possède un savoir en commun avec le narrateur (la syntaxe française) mais qui ignore encore les motivations de Brasse-Bouillon.

Le lecteur témoin

Les dernières pages sont adressées à Folcoche, dans un discours qui n'est pas homogène. Tantôt le narrateur a la voix de Brasse-Bouillon qui part au collège, vérifie sa valise et s'aperçoit que Folcoche se livre à d'ultimes mesquineries : « Pourquoi t'acharner également, Folcoche, contre notre misérable trousseau ? » (p. 252). Tantôt on entend la voix de l'adulte, qui sait combien il souffre encore du poids de son enfance : « Tu as forgé l'arme qui te criblera de coups, mais qui finira par se retourner contre moi-même » (p. 253). Le lecteur, qui n'est plus interpellé mais témoin, hésite entre le soulagement de voir les enfants quitter enfin leur mère, et l'horreur de trouver la haine du narrateur intacte.

Au chapitre 20, Jean s'adresse à lui-même. Le « tu » est alors celui d'un monologue intérieur de Jean qui, perché sur son arbre favori, fait le point : « Tu n'es pas ce que tu veux, mais tu seras ce que tu voudras » (p. 213). Ici, le lecteur entend d'abord la voix de l'adolescent, relayée rapidement par celle de l'adulte ; Jean s'exprime au futur, prophétisant ce que sera son destin – destin évidemment connu du narrateur qui écrit quinze ans plus tard.

Le lecteur complice

Jean Rezeau, qui recherche la complicité de son lecteur, s'adresse à lui explicitement dans les nombreuses incises, le plus souvent mises entre parenthèses. Ces remarques du narrateur servent à préciser les lieux, la chronologie des faits, les motivations des personnages, l'origine des surnoms, ou tout autre éclaircissement jugé utile : « Cropette *(étymologie obscure)* » (p. 37).

Ce procédé permet de commenter ce qui vient d'être dit. C'est ainsi que l'on apprend que les enfants n'ont pas le droit de « conserver plus de quatre francs *(ces derniers étaient réservés pour les quêtes)* » (p. 55) : les premiers mots ne montrent que l'avarice de Folcoche, mais c'est la parenthèse qui révèle le raffinement de sa perversité ! Ces incises ont un caractère subjectif, et leur ton – souvent ironique – force l'adhésion du lecteur.

DISCOURS OU RÉCIT ?

Rappelons que l'on appelle « récit » un énoncé rapporté sans trace d'un sujet parlant, par opposition au « discours », qui se caractérise par la présence de celui qui parle[1]. On distingue le plus souvent le « discours » du « récit » par les temps des verbes utilisés : le récit rapporte des événements passés à l'aide de l'imparfait, du passé simple ou du présent de narration, tandis que les temps employés pour le discours sont l'imparfait, le passé composé, le présent et le futur. Ainsi, la présence d'un passé simple permet d'identifier un récit, et la présence d'un passé composé ou d'un futur est la marque d'un discours.

C'est autour de cette distinction que la technique narrative d'Hervé Bazin manifeste la plus grande complexité. Le texte, pris en charge par un narrateur qui dit « je » et qui commente à chaque instant, est d'abord un discours. Mais l'emploi du passé simple ou du présent de narration, presque systématique dans les dix-neuf premiers chapitres, appartient au récit.

---

1. Cette opposition reste théorique, parce qu'un récit n'est jamais totalement délivré de la voix qui le prend en charge, comme on va le voir ici.

À partir du chapitre 20, l'irruption du passé composé à la place du passé simple permet de comprendre plus clairement comment le système temporel est lié au point de vue. Tant que le récit est au passé simple, le narrateur tient ses souvenirs à distance : ce passé-là est coupé du présent, peut-être révolu. En revanche, dans les derniers chapitres, le passé composé restitue aux événements rapportés des liens avec le présent : cette période, dont le souvenir reste douloureux pour le narrateur, représente à la fois la fin de sa vie d'enfant et le début de sa vie d'homme.

Au cours des dix-neuf premiers chapitres, l'ambiguïté entre discours et récit est entretenue par la présence des nombreuses incises dont il a été question plus haut (voir ci-dessus, p. 71), et qui constituent, à l'évidence, des marques du discours.

Cette ambiguïté apparaît également dans les derniers chapitres, où le présent prend deux valeurs différentes : tantôt il s'agit d'un présent de narration, tantôt c'est le discours du narrateur qui commente les événements rapportés. Dans ces mêmes derniers chapitres, le futur de l'indicatif désigne tantôt la rentrée scolaire (« Nous n'aurons pas de chaussettes neuves », p. 252), tantôt ce que sera la vie du narrateur entre 1928 et 1947 (« Les plus sincères amitiés, les bonnes volontés, les tendresses à venir, je les soupçonnerai, je les découragerai », p. 254).

La complexité des voix narratives et l'ambiguïté constamment entretenue entre discours et récit sont deux procédés qui contribuent à révéler l'état d'esprit du narrateur. En racontant cette enfance détestée, il tente de la mettre à distance, de s'en délivrer ; mais les blessures restent encore si vives qu'il convie son lecteur à un dernier règlement de comptes.

12 L'humour, le comique et la dérision

Bien que le sujet de l'œuvre soit grave, le texte fait presque constamment sourire. Il convient de s'interroger sur les procédés et les fonctions de cette tonalité.

LES PROCÉDÉS

Des situations comiques

Paradoxalement, dans ce récit d'une enfance malheureuse, les situations comiques ne manquent pas. Par exemple, Folcoche, au moment où elle monte un complot, est observée par sa victime à travers un orifice pratiqué dans le mur. Fine, sourde et muette, sert étrangement d'intermédiaire entre les garçons et leur mère. Le premier abbé, chargé de l'éducation morale des enfants, s'intéresse surtout aux charmes de ses jeunes voisines.

Des gestes comiques

Lorsque cet abbé est démasqué par M. Rezeau, il fait entendre « un rire homérique qui devait déboutonner tous les petits boutons de sa soutane » (p. 70). Ou encore, quand Mme Rezeau parle à ses fils, M. Rezeau chasse les mouches : « Sa main partit d'un coup sec. La mouche capturée, il l'examina longuement. » (p. 45).

Le langage des personnages

De ces personnages qui appartiennent à la grande bourgeoisie, on attendrait un langage châtié. En fait, M. Rezeau ne dédaigne pas les « Va te faire fiche ! » (p. 204). Mme Rezeau crie : « Allez-vous rentrer dans vos tanières, vauriens ! » (p. 182). Les enfants s'en donnent à cœur joie avec des « Mon petit pote, on va rigoler ! » (p. 179) ; ou encore, parlant de Folcoche : « Elle en crèverait de dépit, la vieille» (p. 141). A cela s'ajoute le langage par gestes de Fine, appelé par calembour le «finnois».

L'héroï-comique et le burlesque

Le mode héroï-comique consiste à traiter un événement banal sur le ton de l'épopée, c'est-à-dire comme s'il était héroïque. On peut considérer que l'épisode de la ficelle est traité ainsi, de même que le retour de la chasse[1].

Le burlesque, au contraire, raconte sur un ton familier un événement exceptionnel. La réception de René Rezeau est burlesque : «Le grand homme, le héros de la fête, arrive le premier, frileusement recroquevillé sous un plaid au fond de son antique Dion-Bouton. (...) Il descend péniblement de voiture, car sa prostate le fait déjà cruellement souffrir» (p. 217).

Quant au bain forcé que les enfants font prendre à Folcoche (voir ci-dessus, p. 17), il est raconté sur le même ton qu'une partie de pêche : «Folcoche se relève, ses hardes ruisselantes plaquées sur de maigres cuisses, elle se relève et commence à hurler : "Pagayez donc avec les mains, tas d'idiots : je vous en ficherai, moi, des promenades en bateau"» (p. 177).

L'humour du narrateur

L'humour implique une prise de distance du narrateur et met en œuvre un certain nombre de procédés stylistiques.

– *Les comparaisons :* elles sont très nombreuses dans le roman. Rappelons que, dès le titre, le combat de Jean contre Folcoche est assimilé à la lutte d'Hercule contre les serpents; à partir de là, Folcoche est à plusieurs reprises comparée à une vipère (voir ci-dessus, p. 44). Elle est aussi comparée à une araignée (p. 165) et à Junon (p. 127).

– *Les métaphores* les plus longuement exploitées sont celles de la guerre (voir ci-dessus, p. 60) et de la navigation (p. 211). Par ailleurs, la grande bourgeoisie est

---

1. Voir ci-dessus, respectivement les chapitres 2 et 8 de l'œuvre.

assimilée à une « race de girafes ! qui se montent le cou et qui, pommelées de préjugés, broutent solennellement quatre feuilles desséchées aux plus hautes branches des arbres généalogiques » (p. 194).

– *Les catachrèses :* ce sont des métaphores entrées dans l'usage courant. On « réveille » la métaphore si l'on rend au mot son sens propre. Hervé Bazin utilise hardiment ce procédé. Ainsi : « Mme Rezeau n'osa pas dire : « Ça me fait une belle jambe ! » mais, par suite d'une silencieuse association d'idées, elle se caressa longuement le tibia » (p. 87-88). Ou, avec moins d'élégance encore : « Dès qu'elle ouvre la bouche, j'ai l'impression de recevoir un coup de pied au cul. Ce n'est pas étonnant, avec ce menton en galoche » (p. 36).

– *Les mots-valises :* les mots-valises télescopent ou amalgament deux autres mots. On pense bien sûr à « Folcoche », formé par contraction de « folle » et de « cochonne ». Mais on trouve aussi, pour désigner Jean, « le cadet de casse-cogne », qui, outre la pertinence de *cadet*, de *casser* et de *cogner*, fait référence aux *cadets de Gascogne* que Jean a pu découvrir dans *Les Trois Mousquetaires*.

– *Les parodies :* il arrive au narrateur de parodier, c'est-à-dire d'imiter et de caricaturer, un texte de théâtre (p. 10), un prêche (p. 19), un scénario de cinéma (p. 35) ; ou encore un poème romantique commençant par cet alexandrin : « Déjà, nous avions faim, déjà, nous avions froid » (p. 56). Parodie aussi que ce commentaire sur les mains de Folcoche, sous forme d'un problème de physique : « Le nombre de kilogrammètres dépensés par ces extrémités en direction de mes joues et de mes fesses pose un intéressant problème de gaspillage de l'énergie » (p. 36-37).

– *Les jeux de mots :* le narrateur joue sur les échos phonétiques et sur les différents sens des mots. C'est le cas pour le Cartel des gosses (voir ci-dessus, p. 15) ; on trouve aussi, à propos des vieilles traditions des Rezeau : « nos mites et nos mythes » (p. 221). Il ne recule pas devant une certaine vulgarité subversive, lors de la réception du chapitre 21 : « Mon père, ivre d'orgueil, la cravate desserrée, erre de groupe en groupe. Les moucherons, dans le pré, de croupe en croupe » (p. 220). Pire encore est ce message : « Venez dîner, ce soir, chez moi, à la fortune du pot», signé «DE CHAMBRE», qui fait les délices de M. Pluvignec (p. 197).

– *Les rapprochements inattendus :* à ces procédés, il faut ajouter des rapprochements impertinents. Par exemple, lorsque le narrateur présente René Rezeau assis «dans ce fauteuil de l'Académie française où il se cala les fesses» (p. 18). Ou bien, lorsque Mlle Lion vient réveiller le petit Jean et mêle ses conseils à la prière du matin : «C'est le jour de changer votre chemise, Brasse-Bouillon. *Au nom du Père et du Fils...* Tâchez de la garder propre. Quand on va aux waters, on s'essuie convenablement. *Notre Père qui êtes aux cieux...*, etc.» (p. 23). Ou encore, lorsqu'il s'agit des «missionnaires blancs spécialisés dans les Noirs» (p. 39).

LES FONCTIONS DU COMIQUE ET DE L'HUMOUR

Le parti pris du lecteur

Nous avons vu que le narrateur, par le jeu des parenthèses et des interpellations (voir ci-dessus, p. 71), cherchait à faire du lecteur son complice contre Folcoche. Les procédés humoristiques convergent vers le même projet. C'est en effet le lecteur qui identifie les parodies, décrypte les jeux de mots et remarque les impertinences. Bien que Jean soit, à sa manière, aussi fort que Folcoche et, comme nous l'avons vu, assez peu sympathique, la tonalité du texte fait que l'on rit *de* Folcoche *avec* Jean.

La dérision

Cet humour contribue aussi au dénigrement des valeurs chères à la famille Rezeau. En particulier, les rapprochements sacrilèges et le comique de situation dévalorisent les personnages, leurs principes, les conventions sociales et les pratiques religieuses. Certains passages évoquent, à cet égard, la manière voltairienne de conter; notamment lorsque M. Rezeau revient de Chine et rapporte une belle collection d'insectes : «Sa première décision, en s'installant à *La Belle Angerie*, fut de se faire aménager en musée personnel le grand grenier du pavillon de droite. La chose faite, il s'occupa de ses enfants et les pourvut d'un précepteur » (p. 39). Aucun commentaire, le lecteur est juge.

L'indicible

Les procédés que nous venons de repérer participent tous à la mise en place du monde du narrateur, tellement nourri de haine, de révolte et de dérision que les mots suffisent à peine à le dire. Les métaphores mentionnées plus haut sont essentiellement didactiques : elles servent à donner des équivalences utiles au lecteur et donc à exprimer l'inexprimable. Ainsi, grâce à la métaphore centrale, Folcoche apparaît comme une vipère inquiétante, froide, pourvue d'une langue dangereuse, et Brasse-Bouillon comme un jeune Hercule vaillant et téméraire : le lecteur comprend qu'il s'agit de deux personnages plus monstrueux qu'humains et que Jean ne peut être définitivement écrasé. De même, lorsque le narrateur dit de Folcoche que les contraintes qu'elle impose aux enfants sont « une sorte de culture physique de l'autorité » – c'est-à-dire une simple habitude – le lecteur saisit mieux que son système d'éducation ne repose sur aucune valeur morale.

L'humour permet aussi, paradoxalement, d'exprimer la souffrance passée et présente du narrateur. Il est plus pudique que la plainte ; mais, loin de dissimuler la souffrance, il la révèle : le ricanement constitue la dernière arme de la haine de Brasse-Bouillon.

BIBLIOGRAPHIE SUCCINCTE

La trilogie de la famille Rezeau

Vipère au poing, roman, 1948, Éditions B. Grasset, Livre de Poche.
La mort du petit cheval, roman, 1950, Éditions B. Grasset, Livre de Poche.
Cri de la chouette, roman, 1972, Éditions B. Grasset, Livre de Poche.

Hervé Bazin commenté par lui-même

Ce que je crois, essai, 1977, Éditions B. Grasset.
Abécédaire, essai, 1984, Éditions B. Grasset.

Entretiens avec Jean-Claude Lamy, 1992, Éditions Stock.

A propos d'Hervé Bazin

Hervé Bazin, ou le romancier en mouvement, de Pierre Moustiers, 1973, Éditions du Seuil.

INDEX DES THÈMES ET NOTIONS

Les numéros correspondent aux pages du « Profil ».

PROFIL LITTÉRATURE

PROFIL D'UNE ŒUVRE

(suite)

109 **Racine,** Britannicus
189 **Racine,** Iphigénie
39 **Racine,** Phèdre
55 **Rimbaud,** Poésies
82 **Rousseau,** Les confessions
61 **Rousseau,** Rêveries du promeneur solitaire
31 **Sartre,** Huis clos
194 **Sartre,** Les mots
18 **Sartre,** La nausée
170 **Shakespeare,** Hamlet
169 **Sophocle,** Œdipe-roi
44 **Stendhal,** La chartreuse de Parme
20 **Stendhal,** Le rouge et le noir
86 **Tournier,** Vendredi ou les limbes du Pacifique
148 **Vallès,** L'enfant
79 **Verlaine,** Poésies
45/46 **Vian,** L'écume des jours
34 **Voltaire,** Candide
113 **Voltaire,** L'ingénu
188 **Voltaire,** Zadig et Micromégas
35 **Zola,** l'assommoir
77 **Zola,** Au bonheur des dames
100 **Zola,** La bête humaine
8 **Zola,** Germinal

PROFIL CASSETTE

601 **Stendhal,** Le rouge et le noir
602 **Balzac,** Le père Goriot
603 **Voltaire,** Candide
604 **Baudelaire,** Les fleurs du mal
605 **Molière,** Dom Juan
606 **Racine,** Phèdre

TEXTES EXPLIQUÉS

160 **Apollinaire,** Alcools
131 **Balzac,** Le père Goriot
141/142 **Baudelaire,** Les fleurs du mal/ Le spleen de Paris
135 **Camus,** L'étranger
159 **Camus,** La peste
143 **Flaubert,** L'éducation sentimentale
108 **Flaubert,** Madame Bovary
110 **Molière,** Dom Juan
166 **Musset,** Lorenzaccio
161 **Racine,** Phèdre
107 **Stendhal,** Le rouge et le noir
104 **Voltaire,** Candide
136 **Zola,** Germinal

HISTOIRE LITTÉRAIRE

114/115 50 romans clés de la littérature française
119 Histoire de la littérature en France au XVIe siècle
120 Histoire de la littérature en France au XVIIe siècle
139/140 Histoire de la littérature en France au XVIIIe siècle
123/124 Histoire de la littérature et des idées en France au XIXe siècle
125/126 Histoire de la littérature et des idées en France au XXe siècle
128/129 Mémento de littérature française
151/152 Le théâtre, problématiques essentielles
174 25 pièces de théâtre de la littérature française
179/180 La tragédie racinienne
181/182 Le conte philosophique voltairien
183/184 Le roman d'apprentissage au XIXe siècle
197/198 Les romans de Malraux, problématiques essentielles
201/202 Le drame romantique

ORAL DE FRANÇAIS

- **12 sujets corrigés**

167 **Baudelaire,** Les fleurs du mal
168 **Molière,** Dom Juan
175 **Flaubert,** Madame Bovary
176 **Voltaire,** Candide

- **Groupement de textes**

94 La nature : Rousseau et les romantiques
95 La fuite du temps
97 Voyage et exotisme au XIXe siècle
98 La critique de la société au XVIIIe siècle
106 La rencontre dans l'univers romanesque
111 L'autobiographie
130 Le héros romantique
137 Les débuts de roman
155 La critique de la guerre
162 Paris dans le roman au XIXe siècle

Imprimé en France par Pollina, 85400 Luçon - n° 70851-B
Dépôt légal : n° 15637 - octobre 1996